#홈스쿨링
#혼자 공부하기

똑똑한
하루 한자

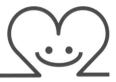

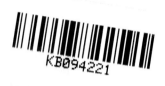

#기초 한자부터 #실생활 속 한자어까지 #똑똑하게 어휘력 키우기

똑똑한 하루 한자 시리즈 구성

예비초~4단계

우리 아이 한자 학습 첫걸음

8급

1단계 A, B, C

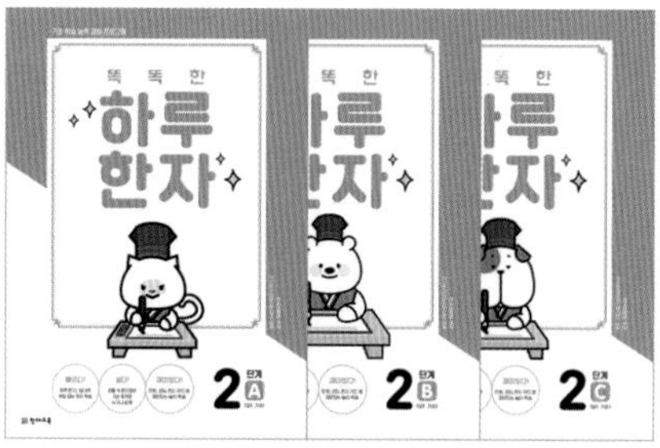

7급II

2단계 A, B, C

7급

3단계 A, B, C

6급II

4단계 A, B, C

똑똑한 **하루 한자**

4주 완성 스케줄표

4단계 B

★ 공부한 날짜를 써 봐!

1주

1일 10~19쪽	2일 20~25쪽	3일 26~31쪽	4일 32~37쪽	5일 38~43쪽	특강
자연 한자 白 흰 백 雪 눈 설	자연 한자 淸 맑을 청 風 바람 풍	자연 한자 光 빛 광 明 밝을 명	자연 한자 地 땅 지 球 공 구	자연 한자 圖 그림 도 形 모양 형	44~51쪽
월 일	월 일	월 일	월 일	월 일	월 일

힘을 내! 넌 최고야!

2주

1일 52~61쪽	2일 62~67쪽	3일 68~73쪽	4일 74~79쪽	5일 80~85쪽	특강
시간 한자 今 이제 금 方 모 방	시간 한자 午 낮 오 前 앞 전	시간 한자 每 매양 매 日 날 일	시간 한자 昨 어제 작 年 해 년	시간 한자 時 때 시 代 대신할 대	86~93쪽
월 일	월 일	월 일	월 일	월 일	월 일

배운 내용은 꼭꼭 복습하기!

3주

1일 94~103쪽	2일 104~109쪽	3일 110~115쪽	4일 116~121쪽	5일 122~127쪽	특강
건강 한자 身 몸 신 體 몸 체	건강 한자 急 급할 급 所 바 소	건강 한자 老 늙을 로 弱 약할 약	건강 한자 內 안 내 科 과목 과	건강 한자 手 손 수 術 재주 술	128~135쪽
월 일	월 일	월 일	월 일	월 일	월 일

마지막 4주 공부 중. 감동이야!

4주

1일 136~145쪽	2일 146~151쪽	3일 152~157쪽	4일 158~163쪽	5일 164~169쪽	특강
사람 한자 天 하늘 천 才 재주 재	사람 한자 神 귀신 신 童 아이 동	사람 한자 各 각각 각 自 스스로 자	사람 한자 部 떼 부 下 아래 하	사람 한자 生 날 생 計 셀 계	170~177쪽
월 일	월 일	월 일	월 일	월 일	월 일

Chunjae Makes Chunjae

▼

똑똑한 하루 한자 4단계 B

편집개발 이수현, 신은숙, 최은혜
디자인총괄 김희정
표지디자인 윤순미
내지디자인 박희춘, 조유정
삽화 강일석, 권순화, 김수정, 이은영, 이혜승
제작 황성진, 조규영

발행일 2022년 2월 1일 초판 2022년 2월 1일 1쇄
발행인 (주)천재교육
주소 서울시 금천구 가산로9길 54
신고번호 제2001-000018호
고객센터 1577-0902

※ 정답 분실 시에는 천재교육 교재 홈페이지에서 내려받으세요.
※ KC 마크는 이 제품이 공통안전기준에 적합하였음을 의미합니다.
※ 주의
책 모서리에 다칠 수 있으니 주의하시기 바랍니다.
부주의로 인한 사고의 경우 책임지지 않습니다.
8세 미만의 어린이는 부모님의 관리가 필요합니다.

똑 똑 한

하루 한자

4 단계 B

6급Ⅱ 기초2

똑똑한 하루 한자 ★ 4단계-B ★

구성과 활용 방법

한 주 미리보기

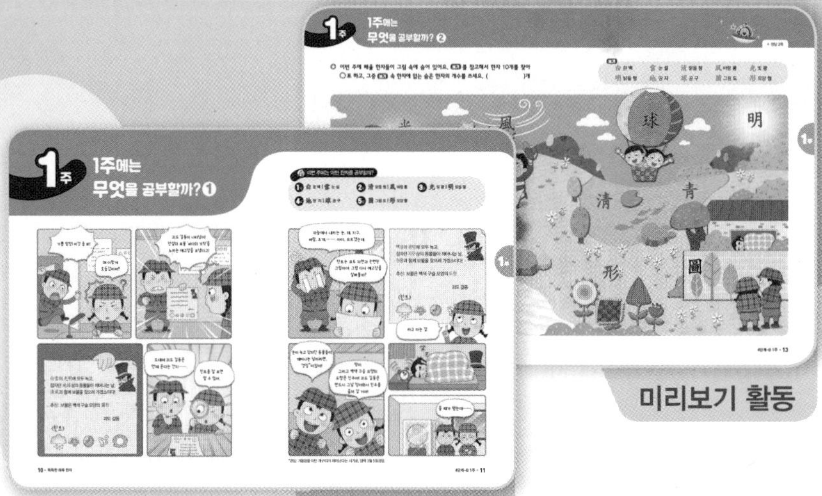

미리보기 활동

미리보기 만화

일일 학습

이야기를 읽으며
오늘 배울 한자를 만나요.

QR 코드 속 영상을 보며
한자를 따라 써요.

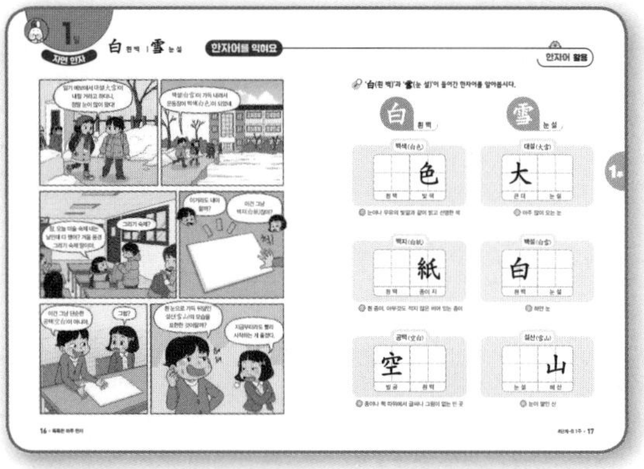

재미있는 만화로 생활 속 한자어를 익혀요.

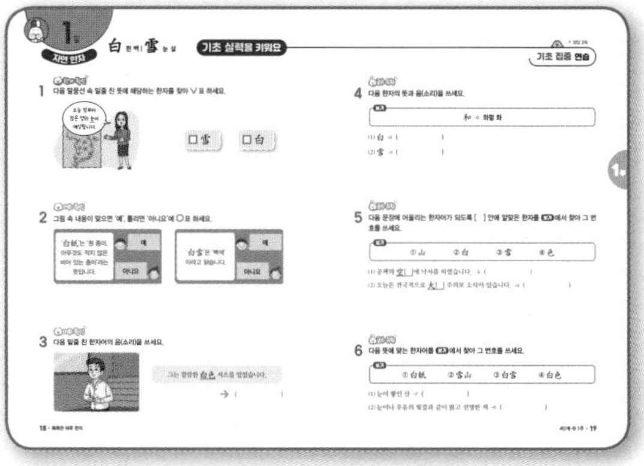

핵심 문제로 기초 실력을 키워요.

한 주 마무리

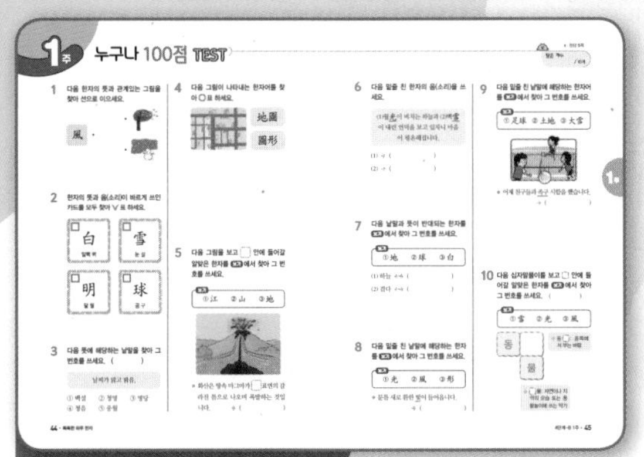

누구나 100점 TEST

문제를 풀며 한 주 동안
배운 내용을 확인해요.

특강

생각을 키워요

창의・융합・코딩 문제로
재미는 솔솔, 사고력은 쑥쑥!

부록

한자 카드로 더욱
재미있게 공부해요!

똑똑한 하루 한자

공부할 내용

1주 자연 한자

일	한자	한자어	쪽수
1일	白 흰 백 雪 눈 설	白色, 白紙, 空白 大雪, 白雪, 雪山	14
2일	清 맑을 청 風 바람 풍	清明, 清風, 清音 東風, 風物, 風月	20
3일	光 빛 광 明 밝을 명	後光, 月光, 光明 明堂, 發明, 分明	26
4일	地 땅 지 球 공 구	地表面, 大地, 土地 足球, 地球, 電球	32
5일	圖 그림 도 形 모양 형	圖形, 地圖, 意圖 人形, 形便, 形體	38
특강	누구나 100점 TEST & 생각을 키워요		44

2주 시간 한자

일	한자	한자어	쪽수
1일	今 이제 금 方 모 방	今方, 今明, 今日 地方, 四方, 方面	56
2일	午 낮 오 前 앞 전	午前, 正午, 午後 前年, 事前, 前方	62
3일	每 매양 매 日 날 일	每日, 每月, 每事 日出, 日光, 日記	68
4일	昨 어제 작 年 해 년	昨年, 昨月, 昨今 學年, 生年, 青年	74
5일	時 때 시 代 대신할 대	時間, 時計, 同時 時代, 代表, 現代	80
특강	누구나 100점 TEST & 생각을 키워요		86

3주 건강 한자

일	한자	한자어	쪽수
1일	身 몸 신 體 몸 체	身長, 心身, 身體 體重, 體育, 下體	98
2일	急 급할 급 所 바 소	火急, 急成長, 急所 所用, 所聞, 木工所	104
3일	老 늙을 로 弱 약할 약	老弱, 年老, 老人 弱小, 弱體, 心弱	110
4일	內 안 내 科 과목 과	室內, 內外, 內心 科目, 內科, 教科書	116
5일	手 손 수 術 재주 술	木手, 手話, 手動 手術, 話術, 心術	122
특강	누구나 100점 TEST & 생각을 키워요		128

4주 사람 한자

일	한자	한자어	쪽수
1일	天 하늘 천 才 재주 재	天地, 天然, 天才 人才, 才學, 多才	140
2일	神 귀신 신 童 아이 동	神話, 女神, 食神 童話, 童心, 神童	146
3일	各 각각 각 自 스스로 자	各國, 各色, 各界 各自, 自然, 自信	152
4일	部 떼 부 下 아래 하	外部, 部長, 部分 下校, 部下, 地下道	158
5일	生 날 생 計 셀 계	生活, 共生, 生命 計算, 家計, 生計	164
특강	누구나 100점 TEST & 생각을 키워요		170

♥ ☐ 은 4단계-B 학습 한자입니다.

ㄱ						
歌	家	各	角	間	江	車
노래 가	집 가	각각 각	뿔 각	사이 간	강 강	수레 거/차
計	界	高	功	公	空	工
셀 계	지경 계	높을 고	공 공	공평할 공	빌 공	장인 공
共	科	果	光	敎	校	球
한가지 공	과목 과	실과 과	빛 광	가르칠 교	학교 교	공 구
九	口	國	軍	金	今	急
아홉 구	입 구	나라 국	군사 군	쇠 금/성 김	이제 금	급할 급
旗	記	氣	南	男	內	女
기 기	기록할 기	기운 기	남녘 남	사내 남	안 내	여자 녀
年	農	短	答	堂	代	對
해 년	농사 농	짧을 단	대답 답	집 당	대신할 대	대할 대
大	圖	道	讀	冬	洞	東
큰 대	그림 도	길 도	읽을 독/구절 두	겨울 동	골 동/밝을 통	동녘 동
童	動	同	等	登	樂	來
아이 동	움직일 동	한가지 동	무리 등	오를 등	즐길 락/노래 악 /좋아할 요	올 래
力	老	六	理	里	利	林
힘 력	늙을 로	여섯 륙	다스릴 리	마을 리	이할 리	수풀 림
立	萬	每	面	命	明	名
설 립	일만 만	매양 매	낯 면	목숨 명	밝을 명	이름 명
母	木	文	聞	門	問	物
어머니 모	나무 목	글월 문	들을 문	문 문	물을 문	물건 물

民	**ㅂ** 班	反	半	發	放	方
백성 민	나눌 반	돌이킬/ 돌아올 반	반 반	필 발	놓을 방	모 방
百	白	部	父	夫	北	分
일백 백	흰 백	떼 부	아버지 부	지아비 부	북녘 북/ 달아날 배	나눌 분
不	**ㅅ** 四	社	事	山	算	三
아닐 불	넉 사	모일 사	일 사	메 산	셈 산	석 삼
上	色	生	書	西	夕	先
윗 상	빛 색	날 생	글 서	서녘 서	저녁 석	먼저 선
線	雪	省	姓	成	世	所
줄 선	눈 설	살필 성/덜 생	성 성	이룰 성	인간 세	바 소
消	小	少	水	數	手	術
사라질 소	작을 소	적을 소	물 수	셈 수	손 수	재주 술
時	始	市	食	植	神	身
때 시	비로소 시	저자 시	밥/먹을 식	심을 식	귀신 신	몸 신
信	新	室	心	十	**ㅇ** 安	藥
믿을 신	새 신	집 실	마음 심	열 십	편안 안	약 약
弱	語	業	然	午	五	王
약할 약	말씀 어	업 업	그럴 연	낮 오	다섯 오	임금 왕
外	勇	用	右	運	月	有
바깥 외	날랠 용	쓸 용	오른 우	옮길 운	달 월	있을 유
育	飮	音	邑	意	二	人
기를 육	마실 음	소리 음	고을 읍	뜻 의	두 이	사람 인
日	一	入	**ㅈ** 字	自	子	昨
날 일	한 일	들 입	글자 자	스스로 자	아들 자	어제 작

6급Ⅱ 배정 한자 총 225자

作	長	場	才	電	戰	前
지을 작	긴 장	마당 장	재주 재	번개 전	싸움 전	앞 전
全	庭	正	弟	題	第	祖
온전 전	뜰 정	바를 정	아우 제	제목 제	차례 제	할아버지 조
足	左	注	主	住	中	重
발 족	왼 좌	부을 주	임금/주인 주	살 주	가운데 중	무거울 중
地	紙	直	集	ㅊ 窓	川	千
땅 지	종이 지	곧을 직	모을 집	창 창	내 천	일천 천
天	清	青	體	草	寸	村
하늘 천	맑을 청	푸를 청	몸 체	풀 초	마디 촌	마을 촌
秋	春	出	七	ㅌ 土	ㅍ 八	便
가을 추	봄 춘	날 출	일곱 칠	흙 토	여덟 팔	편할 편 /똥오줌 변
平	表	風	ㅎ 下	夏	學	韓
평평할 평	겉 표	바람 풍	아래 하	여름 하	배울 학	한국/나라 한
漢	海	幸	現	形	兄	花
한수 /한나라 한	바다 해	다행 행	나타날 현	모양 형	형 형	꽃 화
話	火	和	活	會	孝	後
말씀 화	불 화	화할 화	살 활	모일 회	효도 효	뒤 후
休						
쉴 휴						

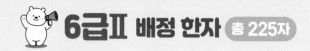

함께 공부할 친구들

주 미리보기에서 만나요!

친절하고 배려심 많은
푸름 탐정

똑부러지는 해결 박사
기쁨 탐정

본문에서 만나요!

단순하지만 마음이
따뜻한 친구 달이

정이 많고
똑똑한 친구 별이

1주

1주에는 무엇을 공부할까? ❶

이번 주에는 어떤 한자를 공부할까?

1일 白 흰 백 | 雪 눈 설　　2일 淸 맑을 청 | 風 바람 풍　　3일 光 빛 광 | 明 밝을 명

4일 地 땅 지 | 球 공 구　　5일 圖 그림 도 | 形 모양 형

*경칩: 겨울잠을 자던 개구리가 깨어난다는 시기로, 양력 3월 5일경임.

1주에는 무엇을 공부할까? ②

이번 주에 배울 한자들이 그림 속에 숨어 있어요. 보기 를 참고해서 한자 10개를 찾아 ○표 하고, 그중 보기 속 한자에 없는 숨은 한자의 개수를 쓰세요. (   )개

◐ 정답 2쪽

보기

白 흰 백	雪 눈 설	淸 맑을 청	風 바람 풍	光 빛 광
明 밝을 명	地 땅 지	球 공 구	圖 그림 도	形 모양 형

1일

자연 한자

白 雪

흰 백　　　눈 설

다음 글을 읽고, 오늘 배울 한자를 확인해 보세요.

흰[白] 눈[雪]이 소복이 쌓인 고요한 아침,
뽀드득뽀드득 눈[雪] 밟는 소리가 상쾌합니다.
아무도 밟지 않은 순백(白)의 눈[雪] 위에
첫 발자국을 새기며
설레는 마음 가득 안고 하루를 시작합니다.

연하게 쓰인 한자를 따라 써 본 후, 빈칸에 바르게 쓰세요.

白 흰 백

불의 심지 모양을 본뜬 글자로, 촛불을 켜면 밝기 때문에 **밝다**, **희다**는 뜻이 되었어요.

QR을 보며 따라 써요!

白	白	白	白	白	白
흰 백	흰 백	흰 백	흰 백	흰 백	흰 백

雪 눈 설

내린 눈을 빗자루로 쓰는 모습을 나타낸 글자로, **눈**을 뜻해요.

QR을 보며 따라 써요!

雪	雪	雪	雪	雪	雪
눈 설	눈 설	눈 설	눈 설	눈 설	눈 설

白 흰 백 | 雪 눈 설

한자어를 익혀요

일기 예보에서 대설(大雪)이 내릴 거라고 하더니, 정말 눈이 많이 왔다!
백설(白雪)이 가득 내려서 운동장이 백색(白色)이 되었네.
참, 오늘 미술 숙제 내는 날인데 다 했어? 겨울 풍경 그리기 숙제 말이야.
그리기 숙제?
이거라도 내야 할까?
이건 그냥 백지(白紙)잖아?
척!
이건 그냥 단순한 공백(空白)이 아니야.
그럼?
흰 눈으로 가득 뒤덮인 설산(雪山)의 모습을 표현한 것이랄까?
헤헤
지금부터라도 빨리 시작하는 게 좋겠다.

'白(흰 백)'과 '雪(눈 설)'이 들어간 한자어를 알아봅시다.

白 흰 백

雪 눈 설

백색(白色)

白	色
흰 백	빛 색

뜻 눈이나 우유의 빛깔과 같이 밝고 선명한 색

대설(大雪)

大	雪
큰 대	눈 설

뜻 아주 많이 오는 눈

백지(白紙)

白	紙
흰 백	종이 지

뜻 흰 종이. 아무것도 적지 않은 비어 있는 종이

백설(白雪)

白	雪
흰 백	눈 설

뜻 하얀 눈

공백(空白)

空	白
빌 공	흰 백

뜻 종이나 책 따위에서 글씨나 그림이 없는 빈 곳

설산(雪山)

雪	山
눈 설	메 산

뜻 눈이 쌓인 산

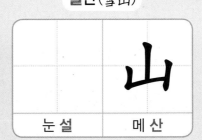

1일 자연 한자

白 흰 백 | 雪 눈 설

한자 확인

1 다음 말풍선 속 밑줄 친 뜻에 해당하는 한자를 찾아 ∨표 하세요.

오늘 밤부터
많은 양의 눈이
예상됩니다.

□ 雪　　□ 白

어휘 확인

2 그림 속 내용이 맞으면 '예', 틀리면 '아니요'에 ○표 하세요.

'白紙'는 '흰 종이. 아무것도 적지 않은 비어 있는 종이'라는 뜻입니다.

예 / 아니요

'白雪'은 '백색'이라고 읽습니다.

예 / 아니요

어휘 확인

3 다음 밑줄 친 한자어의 음(소리)을 쓰세요.

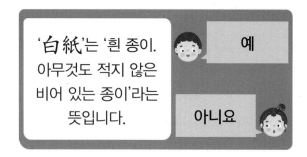

그는 깔끔한 <u>白色</u> 셔츠를 입었습니다.

→ (　　　　　)

급수 유형

4 다음 한자의 뜻과 음(소리)을 쓰세요.

보기

和 → 화할 화

(1) 白 → (　　　　　　)

(2) 雪 → (　　　　　　)

급수 유형

5 다음 문장에 어울리는 한자어가 되도록 [　] 안에 알맞은 한자를 보기 에서 찾아 그 번호를 쓰세요.

보기

① 山　　② 白　　③ 雪　　④ 色

(1) 공책의 空[　]에 낙서를 하였습니다. → (　　　　　　)

(2) 오늘은 전국적으로 大[　] 주의보 소식이 있습니다. → (　　　　　　)

급수 유형

6 다음 뜻에 맞는 한자어를 보기 에서 찾아 그 번호를 쓰세요.

보기

① 白紙　　② 雪山　　③ 白雪　　④ 白色

(1) 눈이 쌓인 산 → (　　　　　　)

(2) 눈이나 우유의 빛깔과 같이 밝고 선명한 색 → (　　　　　　)

2일

자연 한자

清 風

맑을 청　　바람 풍

다음 글을 읽고, 오늘 배울 한자를 확인해 보세요.

봄을 맞아 대청(清)소를 준비합니다.
맑은[清] 바람[風]이 잘 들어올 수 있도록
창문을 활짝 열고 청(清)소를 시작했어요.
창고 깊숙이 쌓아 두었던 물건들까지
하나씩 꺼내어 옮기고, 닦고, 정리하고.
태풍(風)이 지나간 것처럼 어수선했던 집도
가족들이 힘을 합치니 말끔히 정리되었습니다.

오늘 배울 한자

清 風

맑을 청　　바람 풍

연하게 쓰인 한자를 따라 써 본 후, 빈칸에 바르게 쓰세요.

맑을 청

물이 푸르게 보일 정도로 맑은 상태를 나타낸 글자로, **맑다**라는 뜻이에요.

QR을 보며 따라 써요!

清	清	清	清	清	清
맑을 청	맑을 청	맑을 청	맑을 청	맑을 청	맑을 청

바람 풍

봉황의 날갯짓으로 바람이 일어나는 것을 나타낸 글자로, **바람**을 뜻해요.

QR을 보며 따라 써요!

風	風	風	風	風	風
바람 풍	바람 풍	바람 풍	바람 풍	바람 풍	바람 풍

清 맑을 청 | 風 바람 풍

한자어를 익혀요

동풍(東風)이 솔솔 불어 오는 걸 보니 이제 정말 봄이 오려나 봐요.
그러게요. 날씨도 아주 청명(清明)한 걸요. 이 좋은 날씨에 가만히 있을 수는 없죠.
그럼요?
창문을 활짝 열고 청풍(清風)을 맞으며 상쾌하게 청소해요!
좌 악
잠시 후
야, 이거 오랜만이네. 한동안 풍물(風物) 배우기에 푹 빠져 있었는데.
아빠의 연주는 카랑카랑한 청음(清音)이 일품이에요!
덕분에 옆에서 보던 저까지 이렇게 연주할 수 있게 되었잖아요.
이게 바로 서당 개 삼 년이면 풍월(風月)을 읊는다는 거지!
덩기덕
쿵 덕
부글 부글
이제 그만 놀고 청소 마저 합시다!
뜨 끔

'淸(맑을 청)'과 '風(바람 풍)'이 들어간 한자어를 알아봅시다.

淸 맑을 청

風 바람 풍

청명(淸明)

淸	明
맑을 청	밝을 명

뜻 날씨가 맑고 밝음.

동풍(東風)

東	風
동녘 동	바람 풍

뜻 동쪽에서 부는 바람

청풍(淸風)

淸	風
맑을 청	바람 풍

뜻 부드럽고 맑은 바람

풍물(風物)

風	物
바람 풍	물건 물

뜻 자연이나 지역의 모습. 풍물놀이에 쓰는 악기

청음(淸音)

淸	音
맑을 청	소리 음

뜻 맑고 깨끗한 소리

풍월(風月)

風	月
바람 풍	달 월

뜻 맑은 바람과 밝은 달. 얻어들은 짧은 지식

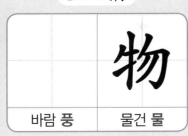

淸 맑을 청 | 風 바람 풍 　기초 실력을 키워요

한자 확인

1 다음에서 '風'의 뜻과 음(소리)을 찾아 ○표 하세요.

맑을 **청**	흰 **백**	바람 **풍**

어휘 확인

2 다음 그림이 나타내는 낱말을 찾아 선으로 이으세요.

• 청풍
• 풍물

어휘 확인

3 다음 □에 들어갈 한자로 알맞은 것을 찾아 ∨표 하세요.

서당 개 삼 년이면 □月을 읊습니다.

□ 風 　 □ 淸

정답 3쪽

기초 집중 연습

급수 유형

4 다음 한자의 뜻과 음(소리)을 쓰세요.

보기

雪 → 눈 설

(1) 風 → (   )

(2) 淸 → (   )

급수 유형

5 다음 밑줄 친 한자어의 독음을 쓰세요.

보기

空白 → 공백

(1) 하늘이 높고 淸明한 날씨입니다. → (   )

(2) 소녀의 낭랑한 淸音이 아직도 귓가에 맴돕니다. → (   )

급수 유형

6 다음 뜻에 맞는 한자어를 보기에서 찾아 그 번호를 쓰세요.

보기

① 東風　② 風月　③ 淸風　④ 淸音

(1) 동쪽에서 부는 바람 → (   )

(2) 부드럽고 맑은 바람 → (   )

3일

자연 한자

光 明

빛 광　　밝을 명

다음 글을 읽고, 오늘 배울 한자를 확인해 보세요.

부모님과 함께 별자리를 구경하러 나왔어요.
너른 언덕 위에 서서 하늘 가득 쏟아지는 별빛[光]과
그윽한 달빛[光]을 바라보았습니다.
캄캄한 밤하늘에 수놓은 듯 밝게[明] 빛[光]나는 별자리에는
다양한 이야기가 담겨 있대요.
아빠의 설명(明)을 들으며 아름다운 밤하늘에 흠뻑 빠지다 보니
시간이 어떻게 흘러가는지도 몰랐답니다.

오늘 배울 한자

光 明

빛 광　　밝을 명

연하게 쓰인 한자를 따라 써 본 후, 빈칸에 바르게 쓰세요.

빛 광

횃불을 든 사람 머리 위에서 빛나는 빛을 나타낸 글자로, **빛**이라는 뜻이에요.

QR을 보며 따라 써요!

光	光	光	光	光	光
빛 광	빛 광	빛 광	빛 광	빛 광	빛 광

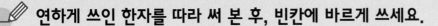

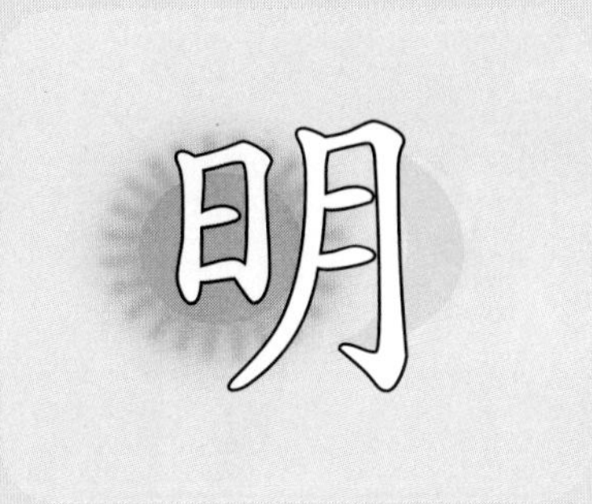

밝을 명

낮을 밝히는 태양과 밤을 밝히는 달을 함께 그린 글자로, **밝다**는 뜻이에요.

QR을 보며 따라 써요!

明	明	明	明	明	明
밝을 명	밝을 명	밝을 명	밝을 명	밝을 명	밝을 명

光 빛 광 | 明 밝을 명

한자어를 익혀요

엄마, 밤하늘에 별이 가득해요!
정말! 멀리 가지 않아도 이렇게 멋진 밤하늘을 볼 수 있다니 여기가 별자리 명당(明堂)이네.
이렇게 하늘을 등지고 있으니 꼭 저한테 후광(後光)이 비추는 것 같지 않나요?
그러게. 월광(月光)도 그윽하니 분위기가 멋지구나.
저는 이다음에 세상에서 제일 빠른 로켓을 발명(發明)해서 저 별들을 눈앞에서 관찰할 거예요!
슈웅
별이 호, 이륙 준비합니다. 3, 2, 1, 발사! 슝!
뿡~
윽, 아름다운 풍경을 방해하는 이 냄새의 범인은 누구죠? 자수해서 광명(光明) 찾읍시다!
전 아니에요, 이 냄새는 분명(分明)…….
하하, 미안!
뭉게
뭉게

한자어 활용

'光(빛 광)'과 '明(밝을 명)'이 들어간 한자어를 알아봅시다.

光 빛 광

明 밝을 명

후광(後光)

後	
뒤 후	빛 광

뜻 뒤에서 비추는 빛. 어떤 사물을 더욱 빛나게 하는 배경

명당(明堂)

	堂
밝을 명	집 당

뜻 어떤 일에 썩 좋은 자리

월광(月光)

月	
달 월	빛 광

뜻 달빛

발명(發明)

發	
필 발	밝을 명

뜻 아직까지 없던 기술이나 물건을 새로 생각하여 만들어 냄.

광명(光明)

	明
빛 광	밝을 명

뜻 밝고 환함.

분명(分明)

分	
나눌 분	밝을 명

뜻 틀림없이 확실하게

3일 자연 한자

光 빛 광 | 明 밝을 명

기초 실력을 키워요

한자 확인

1 다음 한자와 뜻이 반대되는 낱말을 찾아 선으로 이으세요.

明 •

• 어둡다

• 무겁다

어휘 확인

2 다음 밑줄 친 한자어의 음(소리)으로 알맞은 것을 찾아 ∨표 하세요.

<u>月光</u>이 은은하게 마을을 비춥니다.

☐ 월광 ☐ 월명

어휘 확인

3 다음 설명에 해당하는 한자어를 찾아 ○표 하세요.

설명

밝고 환함.

月光 後光 光明

급수 유형

4 다음 한자의 뜻과 음(소리)을 쓰세요.

보기

清 → 맑을 청

(1) 明 → (   )

(2) 光 → (   )

급수 유형

5 다음 문장에 어울리는 한자어가 되도록 [   ] 안에 알맞은 한자를 보기에서 찾아 그 번호를 쓰세요.

보기

① 風　② 明　③ 光　④ 東

(1) 눈 쌓인 언덕에 月[   ]이 반짝입니다. → (   )

(2) 아이는 자신의 생각을 分[   ]하게 표현하였습니다. → (   )

급수 유형

6 다음 뜻에 맞는 한자어를 보기에서 찾아 그 번호를 쓰세요.

보기

① 發明　② 明堂　③ 光明　④ 後光

(1) 뒤에서 비추는 빛 → (   )

(2) 지금까지 없던 기술이나 물건을 새로 생각하여 만들어 냄. → (   )

4일

자연 한자

地 球

땅 지 공 구

다음 글을 읽고, 오늘 배울 한자를 확인해 보세요.

공[球]처럼 둥글고 푸르게 빛나는 우리 별 지구(地球).
지구(地球)는 지금 많이 아프대요.
우리가 무심코 버리는 많은 쓰레기,
편의를 위해 이루어지는 무분별한 개발 때문에
땅[地]도 물도 공기도 오염되고 있다고 해요.
지구(地球)가 건강한 모습을 되찾을 수 있도록
지금부터라도 노력해 보아요.

오늘 배울 한자

地 球

땅 지 공 구

연하게 쓰인 한자를 따라 써 본 후, 빈칸에 바르게 쓰세요.

공부한 날 月 日

땅 지

뱀이 기어가듯 구불구불 이어진 땅이라는 데서, **땅**을 뜻해요.

QR을 보며 따라 써요!

地	地	地	地	地	地
땅 지	땅 지	땅 지	땅 지	땅 지	땅 지

공 구

둥글게 깎아 만든 옥구슬을 나타낸 글자로, **공**, **둥글다**라는 뜻이에요.

QR을 보며 따라 써요!

球	球	球	球	球	球
공 구	공 구	공 구	공 구	공 구	공 구

1주

地 땅 지 | 球 공 구

한자어를 익혀요

달이야, 오늘 모여서 족구(足球) 하기로 한 거 잊었어? 친구들이 운동장에서 기다리고 있어.
앗, 미안해. 지구(地球) 온난화 영상을 보느라 시간 가는 줄 몰랐어.
지구 온난화?
공기 중에 늘어난 온실가스 때문에 지표면(地表面)의 온도가 올라가는 현상이래.
지구가 온난화되면, 빙하가 녹거나 대지(大地)가 사막화되어 많은 동식물이 사라지고, 나아가 생태계가 무너질 수도 있대.
아주 무시무시한 일이구나.
맞아. 그러니까 지구 온난화를 막기 위해 에너지를 절약하고, 토지(土地)나 대기 등이 오염되지 않도록 노력해야 해.
에너지 절약형 전구(電球) 사용하기, 사용하지 않는 가전제품의 콘센트는 빼놓기 등은 우리가 일상생활에서 실천할 수 있는 일들이야.
그렇구나. 그런데 저 모니터는 아까부터 계속 켜져 있던 것 같은데?
아하하, 저게 왜 켜져 있지?

'地(땅 지)'와 '球(공 구)'가 들어간 한자어를 알아봅시다.

地 땅 지

球 공 구

지표면(地表面)

땅 지	表 겉 표	面 낯 면

뜻 지구의 표면. 땅의 겉면

족구(足球)

足 발 족	공 구

뜻 발로 공을 차서 네트를 넘겨 승부를 겨루는 경기

대지(大地)

大 큰 대	땅 지

뜻 대자연의 넓고 큰 땅

지구(地球)

地 땅 지	공 구

뜻 태양에서 셋째로 가까운 행성. 인류가 사는 천체

토지(土地)

土 흙 토	땅 지

뜻 사람의 생활과 활동에 이용하는 땅

전구(電球)

電 번개 전	공 구

뜻 전류를 통하여 빛을 내는 기구

地 땅 지 | 球 공 구

기초 실력을 키워요

한자 확인

1 다음 그림이 나타내는 한자와 음(소리)을 찾아 선으로 이으세요.

	地	구
	球	지

어휘 확인

2 다음 그림과 설명 을 보고 알맞은 낱말을 쓰세요.

설명
태양에서 셋째로 가까운 행성. 인류가 사는 천체

→ (   )

어휘 확인

3 다음 뜻에 해당하는 한자어를 찾아 ○표 하세요.

대자연의 넓고 큰 땅

土地   大地

전류를 통하여 빛을 내는 기구

地球   電球

급수 유형

4 다음 밑줄 친 한자어의 독음을 쓰세요.

보기

光明 → 광명

(1) 電球는 연결 방법에 따라 밝기가 다릅니다. → (　　　　　)

(2) 이곳은 土地가 비옥하여 농사짓기에 알맞습니다. → (　　　　　)

급수 유형

5 다음 문장에 어울리는 한자어가 되도록 [　] 안에 알맞은 한자를 보기에서 찾아 그 번호를 쓰세요.

보기

① 地　② 球　③ 明　④ 電

(1) 달은 地[　] 주위를 돕니다. → (　　　　　)

(2) 밤새 내린 봄비로 大[　]가 촉촉하게 젖었습니다. → (　　　　　)

급수 유형

6 다음 뜻에 맞는 한자어를 보기에서 찾아 그 번호를 쓰세요.

보기

① 足球　② 地球　③ 地表面　④ 大地

(1) 지구의 표면. 땅의 겉면 → (　　　　　)

(2) 발로 공을 차서 네트를 넘겨 승부를 겨루는 경기 → (　　　　　)

5일

자연 한자

圖 形

그림 도　　모양 형

다음 글을 읽고, 오늘 배울 한자를 확인해 보세요.

주말에 시골에 계신 할머니 댁에 다녀왔어요.
산책길에서 동생과 함께 세모, 네모, 동그라미 등의
다양한 모양[形]을 찾아보았어요.
곤충의 왕인 사마귀에서 세모, 얼기설기 엮인 거미줄에서 네모,
빛나는 태양에서 동그라미를 발견했어요.
이처럼 자연은 도(圖)화지에 그려진 그림[圖]처럼
아름답고 다채롭답니다.

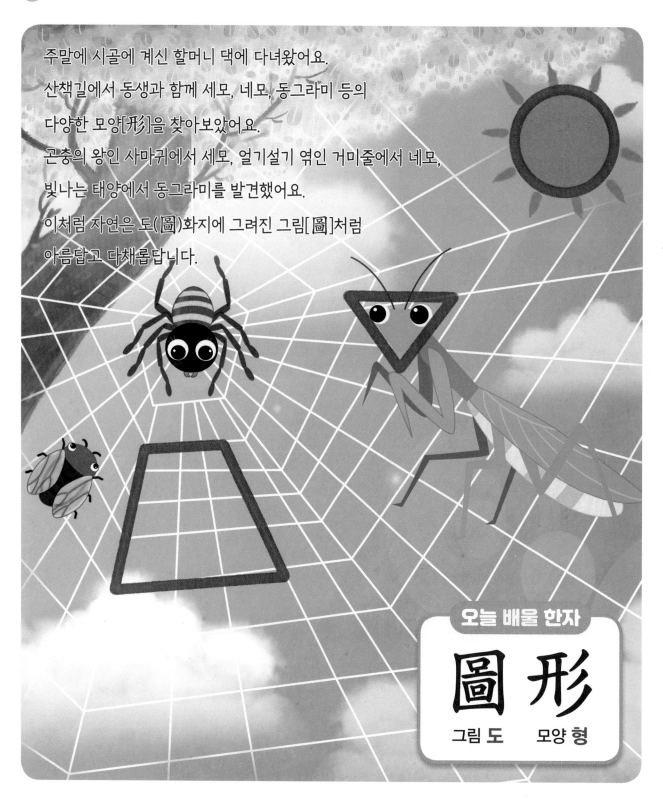

오늘 배울 한자

圖 形

그림 도　　모양 형

연하게 쓰인 한자를 따라 써 본 후, 빈칸에 바르게 쓰세요.

그림 도

경작지의 경계를 명확히 하기 위한 지도나 그림을 나타낸 글자로, **그림**을 뜻해요.

QR을 보며 따라 써요!

圖	圖	圖	圖	圖	圖
그림 도	그림 도	그림 도	그림 도	그림 도	그림 도

모양 형

틀과 털이 합쳐진 글자로, 털을 빗어 모양을 낸다는 데서 **모양**을 뜻해요.

QR을 보며 따라 써요!

形	形	形	形	形	形
모양 형	모양 형	모양 형	모양 형	모양 형	모양 형

5일

자연 한자

圖 그림 도 | 形 모양 형

한자어를 익혀요

아, 심심하다. 뭐 재밌는 일 없을까?
우리 어제 했던 주변에서 도형(圖形) 찾기 놀이 또 할까?
나는 그것 말고 인형(人形) 놀이하고 싶은데.
아무것도 안 가져와서 그럴 형편(形便)이 안 돼. 그냥 우리 삼촌 방에서 책 읽자.
엇, 이거 보물 지도(地圖)인 것 같아!
우리 얼른 찾으러 가 보자!
촤라락
툭~
음……. 여기가 맞는데, 찾았다!
아직도 멀었어?
이게 그 보물인가 봐.
와, 다양한 모양의 사탕이 들어 있네.
어디 보자. 얼른 나도 줘!
어… 어…
툭
퍽
으앙! 어떻게 찾은 보물인데……. 형체(形體)가 다 사라져 버렸네.
그럴 의도(意圖)는 아니었는데, 미안해.

'圖(그림 도)'와 '形(모양 형)'이 들어간 한자어를 알아봅시다.

圖 그림 도

形 모양 형

도형(圖形)

그림 도	形 모양 형

뜻 그림의 모양이나 형태

인형(人形)

人 사람 인	모양 형

뜻 사람이나 동물 모양으로 만든 장난감

지도(地圖)

地 땅 지	그림 도

뜻 실제 땅을 축소하여 표현한 그림

형편(形便)

모양 형	便 편할 편/똥오줌 변

뜻 일이 되어 가는 상태나 경로 또는 결과

의도(意圖)

意 뜻 의	그림 도

뜻 하고자 하는 생각이나 계획

형체(形體)

모양 형	體 몸 체

뜻 물건의 모양과 그 바탕인 몸

1주

圖 그림 도 | 形 모양 형

기초 실력을 키워요

1 한자 확인

다음 한자의 뜻과 음(소리)을 쓰세요.

形 ( )을/를 뜻하고, ( )(이)라고 읽습니다.

圖 ( )을/를 뜻하고, ( )(이)라고 읽습니다.

2 어휘 확인

그림 속 내용이 맞으면 '예', 틀리면 '아니요'에 ◯표 하세요.

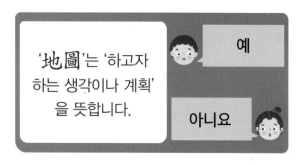

'地圖'는 '하고자 하는 생각이나 계획'을 뜻합니다. 예 / 아니요

'人形'은 '사람이나 동물 모양으로 만든 장난감'을 뜻합니다. 예 / 아니요

3 어휘 확인

힌트를 보고 다음 빈칸에 들어갈 알맞은 글자를 써넣으세요.

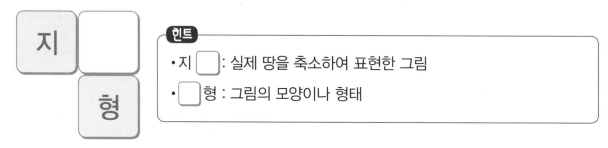

지 □

□ 형

힌트
• 지 □ : 실제 땅을 축소하여 표현한 그림
• □ 형 : 그림의 모양이나 형태

◐ 정답 4쪽

기초 집중 연습

급수 유형

4 다음 한자의 뜻과 음(소리)을 쓰세요.

보기

球 → 공 구

(1) 圖 → (　　　　　)

(2) 形 → (　　　　　)

급수 유형

5 다음 밑줄 친 한자어의 독음을 쓰세요.

보기

地球 → 지구

(1) 意圖는 좋았으나 결과가 나빴습니다. → (　　　　　)

(2) 동생에게 커다란 곰 人形을 사 주자 좋아했습니다. → (　　　　　)

급수 유형

6 다음 뜻에 맞는 한자어를 보기 에서 찾아 그 번호를 쓰세요.

보기

① 圖形　② 形體　③ 意圖　④ 地圖

(1) 실제 땅을 축소하여 표현한 그림 → (　　　　　)

(2) 그림의 모양이나 형태 → (　　　　　)

1주 누구나 100점 TEST

1 다음 한자의 뜻과 관계있는 그림을 찾아 선으로 이으세요.

風 •

• 

• 

2 한자의 뜻과 음(소리)이 바르게 쓰인 카드를 모두 찾아 ✔표 하세요.

□ 白 일백 백	□ 雪 눈 설
□ 明 달 월	□ 球 공 구

3 다음 뜻에 해당하는 낱말을 찾아 그 번호를 쓰세요. (　　　　)

날씨가 맑고 밝음.

① 백설　② 청명　③ 명당
④ 청음　⑤ 풍월

4 다음 그림이 나타내는 한자어를 찾아 ○표 하세요.

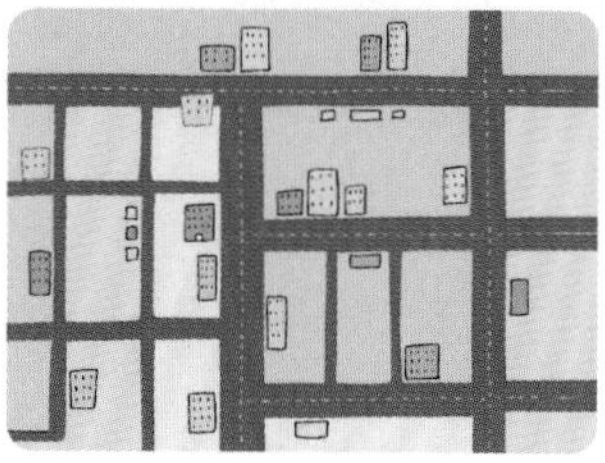

地圖

圖形

5 다음 그림을 보고 □ 안에 들어갈 알맞은 한자를 보기에서 찾아 그 번호를 쓰세요.

보기
① 江　② 山　③ 地

- 화산은 땅속 마그마가 □ 표면의 갈라진 틈으로 나오며 폭발하는 것입니다. → (　　　　)

6 다음 밑줄 친 한자의 음(소리)을 쓰세요.

(1)월光이 비치는 하늘과 (2)백雪이 내린 언덕을 보고 있자니 마음이 평온해집니다.

(1) → (　　　　　)

(2) → (　　　　　)

7 다음 낱말과 뜻이 반대되는 한자를 보기에서 찾아 그 번호를 쓰세요.

보기
① 地　② 球　③ 白

(1) 하늘 ↔ (　　　　　)

(2) 검다 ↔ (　　　　　)

8 다음 밑줄 친 낱말에 해당하는 한자를 보기에서 찾아 그 번호를 쓰세요.

보기
① 光　② 風　③ 形

● 문틈 새로 환한 빛이 들어옵니다.

→ (　　　　　)

9 다음 밑줄 친 낱말에 해당하는 한자어를 보기에서 찾아 그 번호를 쓰세요.

보기
① 足球　② 土地　③ 大雪

● 어제 친구들과 족구 시합을 했습니다.

→ (　　　　　)

10 다음 십자말풀이를 보고 □ 안에 들어갈 알맞은 한자를 보기에서 찾아 그 번호를 쓰세요. (　　　　　)

보기
① 雪　② 光　③ 風

동	□
	물

→ 동□: 동쪽에서 부는 바람

↓ □물: 자연이나 지역의 모습 또는 풍물놀이에 쓰는 악기

1주

생각을 키워요 1

국어+한문 다음 만화를 읽고, 성어의 뜻을 생각해 보세요.

雪上加霜
눈 설 윗 상 더할 가 서리 상

아까 학원에 간다고 먼저 가더니, 왜 아직 여기 있는 거야?
후다닥
주춤
잠깐 화장실 다녀온 사이에 학원 차를 놓쳐 버렸지 뭐야.
저런!
얼른 버스를 타고 가야겠어.
버스 기다리는 동안 내가 같이 있어 줄게.
내일 보자!
그래, 기다려 줘서 고마워!

◆ **성어의 뜻을 살펴보며 빈칸에 알맞은 한자를 채우세요.**

설	상	가	상
(　)	上	加	霜

→ '눈 위에 서리가 덮인다.'라는 뜻으로, 난처한 일이나 불행한 일이 잇따라 일어남을 이르는 말

📖 코딩+한문 명령어 에 따라 춤추는 로봇이 있습니다. 로봇이 다음과 같이 춤 동작을 수행할 때, 입력한 한자어의 음(소리)을 쓰고 그 뜻을 찾아 ∨ 표 하세요.

하얀 눈

하얀 구슬

날씨가 맑고 밝음.

틀림없이 확실하게

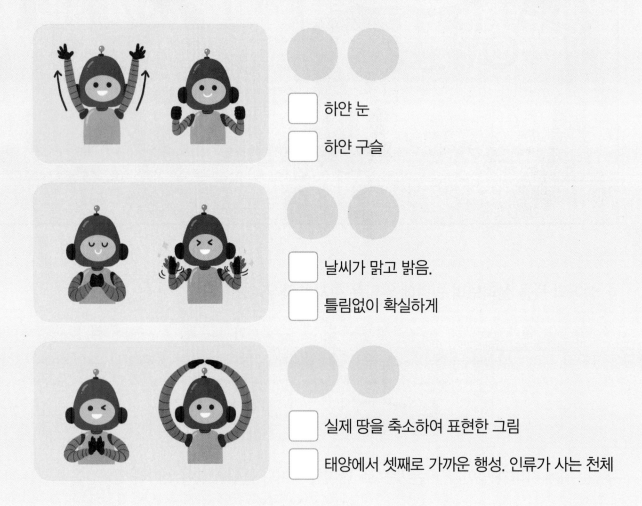

실제 땅을 축소하여 표현한 그림

태양에서 셋째로 가까운 행성. 인류가 사는 천체

코딩+한문 보기 의 보석들을 엮어 장신구를 만드는 로봇이 있습니다. 순서도 에서 완성된 장신구를 보고 (　) 안에 알맞은 내용을 쓰세요.

보기

* 보석은 12시부터 시작하여 시계 방향으로 돌아가며 엮습니다.

순서도 ①

시작
↓
음(소리)이 '설'인 보석 꿰기
↓
뜻이 (　　　　)인 보석 꿰기
↓
음(소리)이 (　　　　)인 보석 꿰기
↓
(　　　　)회 반복
↓
완성

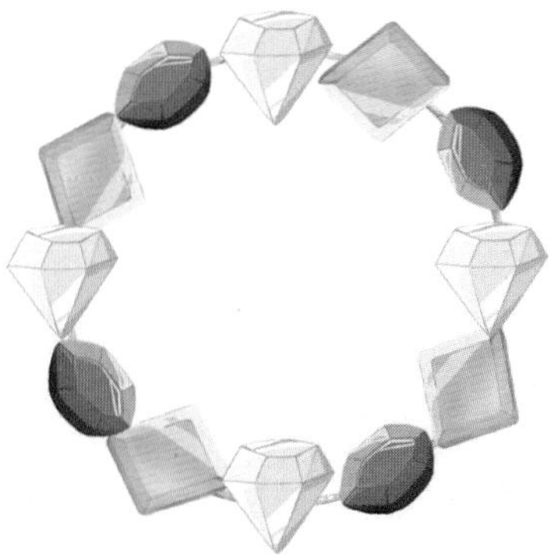

순서도 ②

시작
↓
뜻이 (　　　　)인 보석 꿰기
↓
음(소리)이 '광'인 보석 꿰기
↓
(　　　　)회 반복
↓
뜻이 (　　　　)인 보석 꿰기
↓
4회 반복
↓
완성

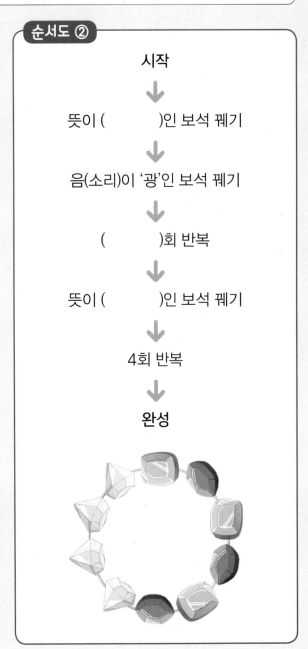

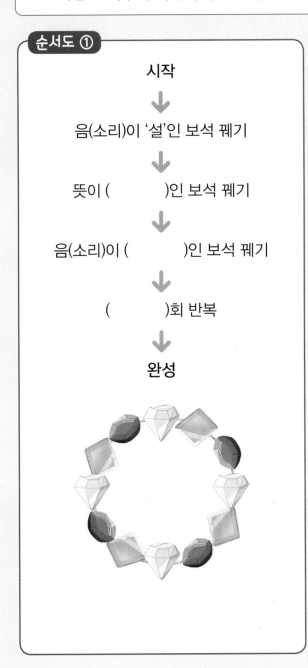

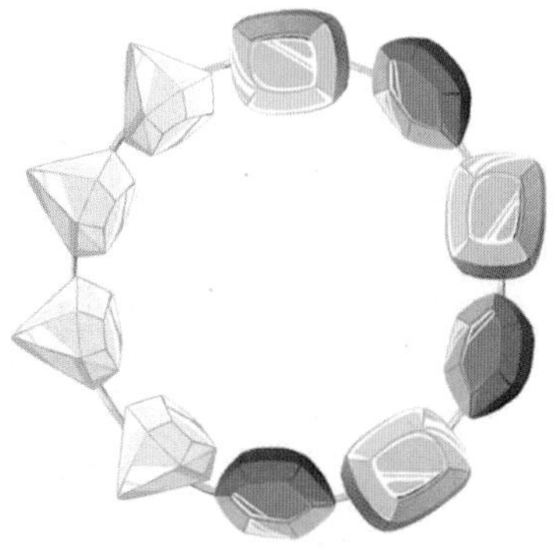

1주

생각을 키워요 ③

과학+한문 다음은 친환경 에너지에 대한 이야기입니다. 글을 읽고, 물음에 답하세요.

우리가 사용하는 에너지의 대부분은 석탄이나 석유 같은 화석 연료에서 얻는데, 이때 발생하는 이산화탄소는 (㉠) 온난화의 원인이 된대.

그래서 화석 연료를 대체할 수 있는 친환경 에너지를 개발하기 위해 전 세계가 노력하고 있어. 지금부터 친환경 에너지에는 어떤 것들이 있는지 알아보자.

태양광 에너지
태양 전지를 이용해 태양 빛을 직접 전기로 변환하는 방식의 에너지입니다. 태양은 무한한 에너지를 가지고 있어 고갈 우려가 적기 때문에 미래 에너지로 중요한 역할을 할 것입니다.

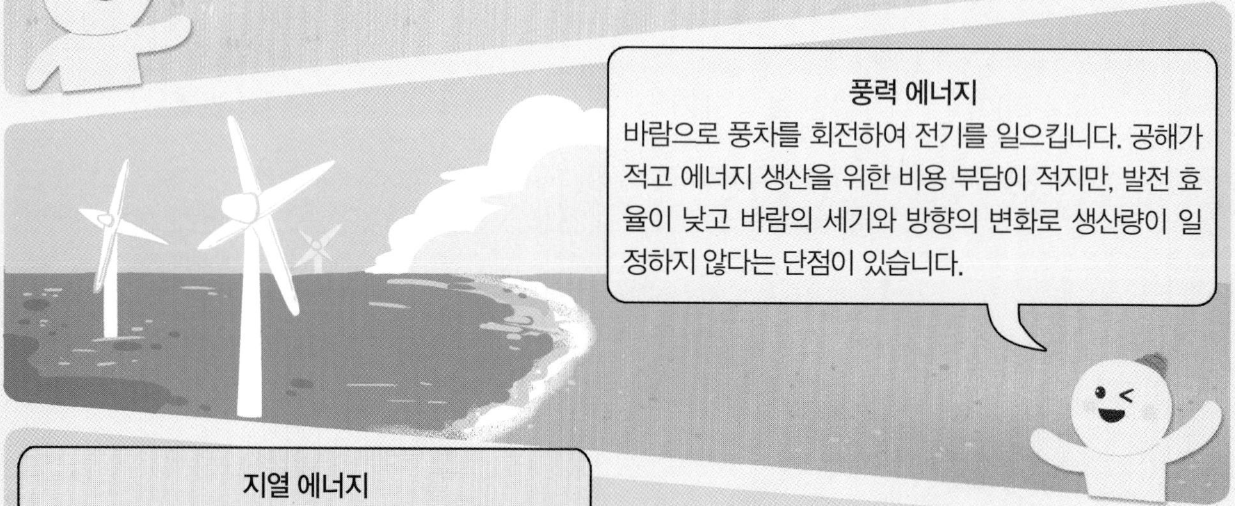
풍력 에너지
바람으로 풍차를 회전하여 전기를 일으킵니다. 공해가 적고 에너지 생산을 위한 비용 부담이 적지만, 발전 효율이 낮고 바람의 세기와 방향의 변화로 생산량이 일정하지 않다는 단점이 있습니다.

지열 에너지
지구 안에서 땅 표면으로 흘러나오는 열로 에너지를 만드는 방식입니다. 지열 에너지는 친환경적이고 고갈 될 염려가 없다는 장점이 있지만, 이용할 수 있는 지역이 한정적이고, 비용이 많이 든다는 단점이 있습니다.

1 ㉠에 들어갈 알맞은 한자어에 ∨표 하세요.

□白雪 □圖形 □地球

2 다음 그림과 관련 있는 한자를 찾아 선으로 이으세요.

• • 風

• • 光

3 다음 중 친환경 에너지를 바르게 설명한 학생에 ○표 하세요.

地열 에너지는
어느 지역에서나
생산할 수 있어.
風력 에너지는
생산량이 일정해.
태양光 에너지는
태양 빛을 직접 전기로
변환하는 에너지야.

2주 2주에는 무엇을 공부할까? ①

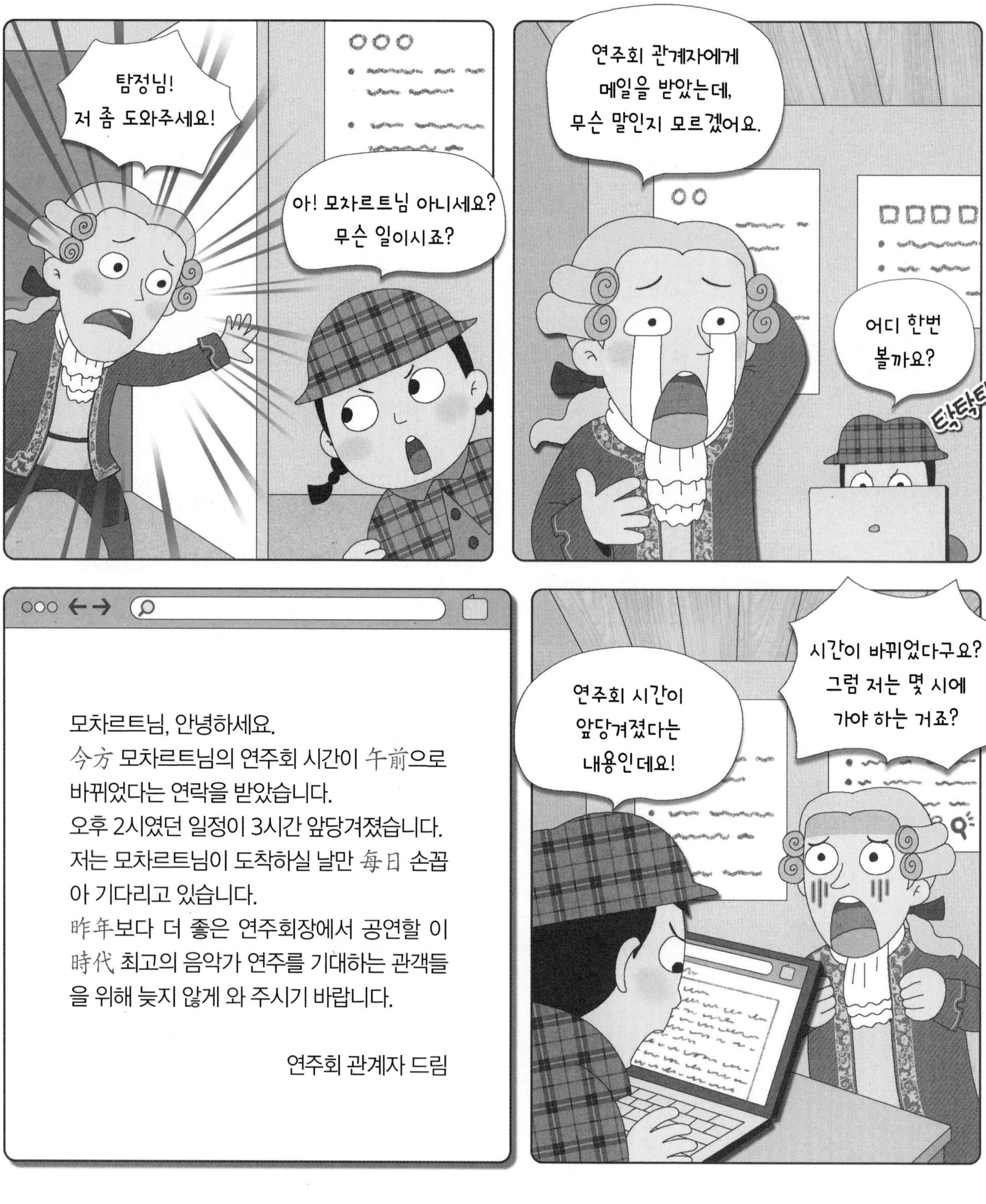
탐정님!
저 좀 도와주세요!
아! 모차르트님 아니세요?
무슨 일이시죠?
연주회 관계자에게
메일을 받았는데,
무슨 말인지 모르겠어요.
어디 한번
볼까요?
탁탁탁
연주회 시간이
앞당겨졌다는
내용인데요!
시간이 바뀌었다구요?
그럼 저는 몇 시에
가야 하는 거죠?

모차르트님, 안녕하세요.
今方 모차르트님의 연주회 시간이 午前으로 바뀌었다는 연락을 받았습니다.
오후 2시였던 일정이 3시간 앞당겨졌습니다.
저는 모차르트님이 도착하실 날만 每日 손꼽아 기다리고 있습니다.
昨年보다 더 좋은 연주회장에서 공연할 이 時代 최고의 음악가 연주를 기대하는 관객들을 위해 늦지 않게 와 주시기 바랍니다.

연주회 관계자 드림

이번 주에는 어떤 한자를 공부할까?

1일 今 이제 금 | 方 모 방

2일 午 낮 오 | 前 앞 전

3일 每 매양 매 | 日 날 일

4일 昨 어제 작 | 年 해 년

5일 時 때 시 | 代 대신할 대

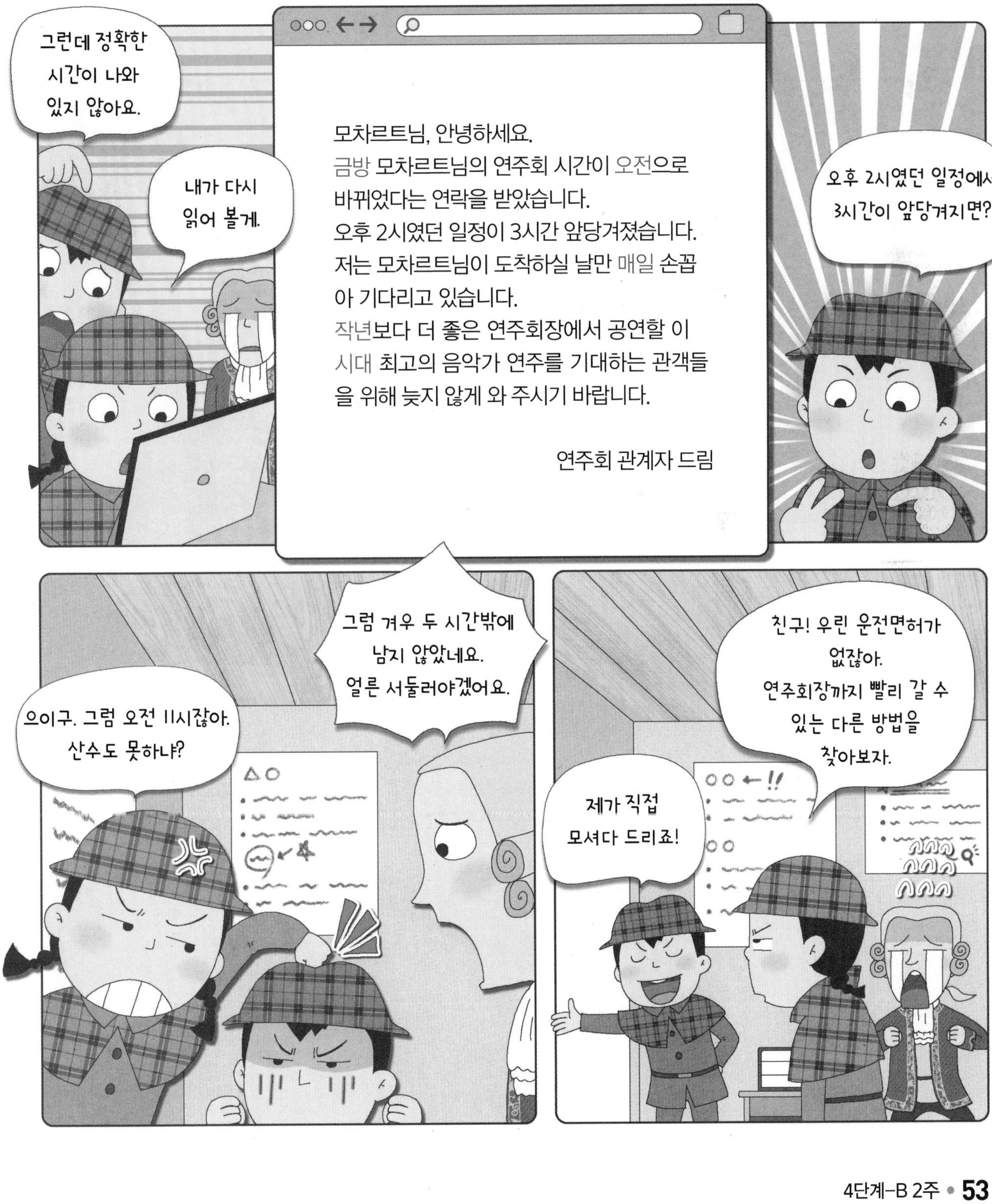

그런데 정확한 시간이 나와 있지 않아요.
내가 다시 읽어 볼게.
모차르트님, 안녕하세요.
금방 모차르트님의 연주회 시간이 오전으로 바뀌었다는 연락을 받았습니다.
오후 2시였던 일정이 3시간 앞당겨졌습니다.
저는 모차르트님이 도착하실 날만 매일 손꼽아 기다리고 있습니다.
작년보다 더 좋은 연주회장에서 공연할 이 시대 최고의 음악가 연주를 기대하는 관객들을 위해 늦지 않게 와 주시기 바랍니다.
연주회 관계자 드림
오후 2시였던 일정에서 3시간이 앞당겨지면?
으이구. 그럼 오전 11시잖아. 산수도 못하냐?
그럼 겨우 두 시간밖에 남지 않았네요. 얼른 서둘러야겠어요.
친구! 우린 운전면허가 없잖아. 연주회장까지 빨리 갈 수 있는 다른 방법을 찾아보자.
제가 직접 모셔다 드리죠!

2주 2주에는 무엇을 공부할까? ②

✪ 이번 주에 배울 한자가 전철 노선도에 있어요. 보기의 순서대로 따라가서 모차르트가 빨리 연주장에 도착할 수 있도록 해 주세요.

정답 7쪽

보기

今 이제 **금** → 方 모 **방** → 午 낮 **오** → 前 앞 **전** → 每 매양 **매** → 日 날 **일** → 昨 어제 **작** → 年 해 **년** → 時 때 **시** → 代 대신할 **대**

日
昨
年
時
代
탐정님들 덕분에
제시간에 도착했어요.
고마워요.

1일

시간 한자

今 方

이제 금 　 모 방

다음 글을 읽고, 오늘 배울 한자를 확인해 보세요.

부모님과 나들이를 가고 있는데
차가 너무 많아서 휴게소에서 잠깐 쉬고 있어요.
곧[今] 연휴 시작이라서 강원도 방향[方]으로
여행을 가는 사람들이 많은 것 같아요.
목적지가 얼마 남지 않았는데 금방(今方) 도착할 수 있겠죠?

연하게 쓰인 한자를 따라 써 본 후, 빈칸에 바르게 쓰세요.

이제 금

시간적인 개념을 표현하고 있는 글자로, **이제**나 **곧**, **현재**라는 뜻이에요.

QR을 보며 따라 써요!

今	今	今	今	今	今
이제 금	이제 금	이제 금	이제 금	이제 금	이제 금

모 방

소가 끄는 쟁기를 나타낸 글자예요. 소가 일정한 방향으로 나아가며 네모난 밭을 간다는 데서 **모**, **방향**이라는 뜻이 생겼어요.

QR을 보며 따라 써요!

方	方	方	方	方	方
모 방	모 방	모 방	모 방	모 방	모 방

今 이제 금 | 方 모 방

한자어를 익혀요

별이야. 아까 전화 했었는데 안 받더라. 어디야?
나 금방(今方) 휴게소에 갔다 왔는데, 휴대 전화를 두고 갔었어.
어디 가는 길이야?
부모님과 지방(地方)에 가고 있어. 지금 고속도로인데 차가 너무 막혀서 사방(四方)이 차로 둘러싸였어.
지난번에 도서관 문화 체험 행사에 참여 신청했었잖아.
아 맞다. 금명(今明)으로 소식 준다고 했었지?
금일(今日) 안으로 연락한다고 하더라고.
그거 당첨되면 다음 주에 가는 거지?
응. 준비할 것도 있어서 전화해 봤지.
내일 집으로 돌아갈 거니까 같이 준비하면 되겠다. 이제 도로가 뚫리기 시작했어.
어머, 여보! 이 길로 빠지면 안 돼요!
앗! 근데 오늘 갈 수도 있을 거 같아. 아빠가 길을 잘못 들어서 다시 서울 방면(方面)으로 가고 있어!

'今(이제 금)'과 '方(모 방)'이 들어간 한자어를 알아봅시다.

今 이제 금

方 모 방

금방(今方)

이제 금	모 방
	方

뜻 말하고 있는 시점보다 바로 조금 전

지방(地方)

땅 지	모 방
地	

뜻 어느 방면의 땅. 서울 이외의 지역

금명(今明)

이제 금	밝을 명
	明

뜻 오늘이나 내일 사이

사방(四方)

넉 사	모 방
四	

뜻 동, 서, 남, 북 네 방위를 통틀어 이르는 말

금일(今日)

이제 금	날 일
	日

뜻 지금 지나가고 있는 이날

방면(方面)

모 방	낯 면
	面

뜻 어떤 장소나 지역이 있는 방향. 또는 그 일대

1일 시간 한자

今 이제 금 | 方 모 방

기초 실력을 키워요

한자 확인

1 다음 말풍선 속 밑줄 친 뜻에 해당하는 한자를 찾아 V표 하세요.

등산 코스와 방향을
알 수 있도록 노란 리본을
달아 놓았어요.

□ 今

□ 方

어휘 확인

2 다음 설명에 해당하는 한자어를 찾아 ○표 하세요.

설명

말하고 있는 시점보다 바로 조금 전

今日 | 今明 | 今方

어휘 확인

3 다음 밑줄 친 한자어의 음(소리)을 쓰세요.

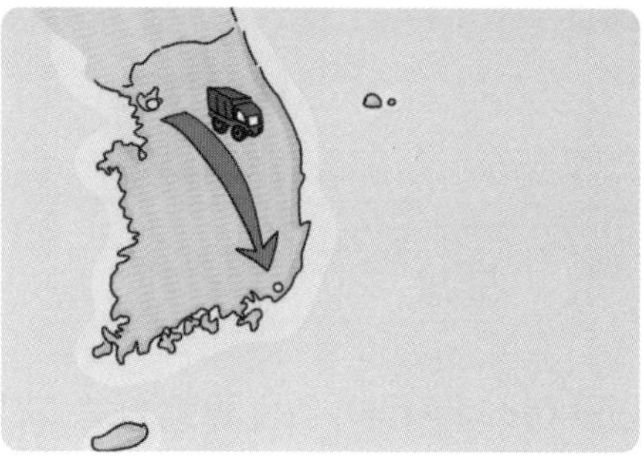

地方 도시로 이사를 갑니다.

→ (　　　　　)

급수 유형

4 다음 한자의 뜻과 음(소리)을 쓰세요.

보기

問 → 물을 문

(1) 今 → (　　　　　　)

(2) 方 → (　　　　　　)

급수 유형

5 다음 문장에 어울리는 한자어가 되도록 [　] 안에 알맞은 한자를 보기 에서 찾아 그 번호를 쓰세요.

보기

① 方　　② 月　　③ 今　　④ 地

(1) [　]日 휴업합니다. → (　　　　　　)

(2) 그녀는 여러 [　]面에 다재다능한 사람입니다. → (　　　　　　)

급수 유형

6 다음 뜻에 맞는 한자어를 보기 에서 찾아 그 번호를 쓰세요.

보기

① 今日　　② 今明　　③ 四方　　④ 方面

(1) 오늘이나 내일 사이 → (　　　　　　)

(2) 동, 서, 남, 북 네 방위를 통틀어 이르는 말 → (　　　　　　)

2일

시간 한자

午 前

낮 오 앞 전

다음 글을 읽고, 오늘 배울 한자를 확인해 보세요.

오늘은 고구마 농장에 체험 학습을 가는 날입니다.
그런데 일기 예보를 보니 오전(午前)에 비가 온다고 하네요.
낮[午]부터는 그친다고 하는데, 체험 학습을 갈 수 있을지 걱정이에요.
앗! 저기 앞[前]에 달이가 네모난 상자를 들고 가네요.

오늘 배울 한자

午 前

낮 오 앞 전

연하게 쓰인 한자를 따라 써 본 후, 빈칸에 바르게 쓰세요.

공부한 날 月 日

낮 오

막대기를 꽂아 나타난 그림자를 보고 시간을 알았다는 것을 표현한 글자로, **낮**을 뜻해요.

QR을 보며 따라 써요!

午	午	午	午	午	午
낮 오	낮 오	낮 오	낮 오	낮 오	낮 오

앞 전

앞으로 나아가는 것을 나타낸 글자로, **앞**을 뜻해요.

QR을 보며 따라 써요!

前	前	前	前	前	前
앞 전	앞 전	앞 전	앞 전	앞 전	앞 전

2주

午 낮 오 | 前 앞 전

한자어를 익혀요

비가 내리기 시작하네.
오늘 오전(午前)까지만 온다고 하던데, 예정대로 체험 학습을 갈 수 있을까?
전년(前年)에 갔을 때는 날씨가 맑아서 아주 좋았었는데…….
팍
팍
정오(正午)부터는 비가 그친다고 하니 기대해 보자.
제발 오후(午後)에는 비가 그치기를…….
근데 그 상자는 뭐야?
내가 사전(事前)에 고구마 담을 상자를 준비했지?
달이표 꿀 고구마
여기에 고구마를 담아서 부모님께 드리면 엄마가 맛있는 고구마 튀김을 해 주실 거야.
어? 저기 전방(前方) 게시판에 안내문이 있네.
게시판 안내문
날씨가 좋지않아 오늘 체험 학습은 강당에서 진행합니다. 모두 강당으로 모이세요.
달이표 꿀 고구마
흑, 내 고구마 튀김…….
아쉬움은 엄마가 싸 주신 김밥으로 달래자.
툭~
달이표 꿀 고구마

'午(낮 오)'와 '前(앞 전)'이 들어간 한자어를 알아봅시다.

午 낮 오

前 앞 전

오전(午前)

	前
낮 오	앞 전

뜻 자정부터 낮 열두 시까지의 시간

전년(前年)

	年
앞 전	해 년

뜻 이해의 바로 앞의 해. 지나간 해

정오(正午)

正	
바를 정	낮 오

뜻 낮 열두 시

사전(事前)

事	
일 사	앞 전

뜻 일이 일어나기 전. 일을 시작하기 전

오후(午後)

	後
낮 오	뒤 후

뜻 정오부터 밤 열두 시까지의 시간

전방(前方)

	方
앞 전	모 방

뜻 향하고 있는 방향과 일치하는 쪽

午 낮 오 | 前 앞 전

기초 실력을 키워요

한자 확인

1 다음 한자의 뜻과 음으로 알맞은 것을 찾아 선으로 이으세요.

午 •	• 앞 •	• 전
前 •	• 낮 •	• 오

어휘 확인

2 다음 문장에 들어갈 말로 어울리는 한자어를 찾아 ○표 하세요.

학교에서는 (正午 / 前年)에
점심 식사를 합니다.

어휘 확인

3 힌트 를 보고 다음 빈칸에 들어갈 알맞은 한자를 써넣으세요.

事	☐
	方

힌트

- 事☐: 일이 일어나기 전. 일을 시작하기 전
- ☐方: 향하고 있는 방향과 일치하는 쪽

급수 유형

4 다음 밑줄 친 한자어의 독음을 쓰세요.

보기
今方 → 금방

(1) 사고는 事前에 방지해야 합니다. → (　　　　　　)

(2) 이번 여름은 前年보다 덥습니다. → (　　　　　　)

급수 유형

5 다음 문장에 어울리는 한자어가 되도록 [ ] 안에 알맞은 한자를 보기에서 찾아 그 번호를 쓰세요.

보기
① 午　② 正　③ 前　④ 事

(1) 오늘 [ ]後부터 차차 맑아질 예정입니다. → (　　　　　　)

(2) [ ]方 10미터 지점에 낯선 물체가 발견되었습니다. → (　　　　　　)

급수 유형

6 다음 뜻에 맞는 한자어를 보기에서 찾아 그 번호를 쓰세요.

보기
① 正午　② 前年　③ 午後　④ 事前

(1) 이해의 바로 앞의 해. 지나간 해 → (　　　　　　)

(2) 정오부터 밤 열두 시까지의 시간 → (　　　　　　)

3일

시간 한자

每 日

매양 매　　날 일

다음 글을 읽고, 오늘 배울 한자를 확인해 보세요.

얼마 전부터 아빠와 매일(每日) 아침 운동을 하기 시작했어요.
일찍 일어나는 것이 조금 힘들지만
운동을 하고 나면 몸도 개운하고 기분까지 좋아져요.
늘[每] 마시는 공기지만 산에서 마시는 공기는 더 상쾌하게 느껴집니다.
해[日]가 뜨기 시작하니 금세 세상이 밝아졌어요.

오늘 배울 한자

每 日

매양 매　　날 일

연하게 쓰인 한자를 따라 써 본 후, 빈칸에 바르게 쓰세요.

매양 매

아이를 사랑하는 어머니의 마음이 한결같다는 것을 나타낸 글자로, **매양**, **마다**를 뜻해요.

QR을 보며 따라 써요!

每	每	每	每	每	每
매양 매	매양 매	매양 매	매양 매	매양 매	매양 매

날 일

햇살이 퍼지는 모습을 본뜬 글자예요. 그래서 **해**를 뜻해요. 해가 떠 있는 동안이 하루이니까 **날**도 뜻하게 되었어요.

QR을 보며 따라 써요!

日	日	日	日	日	日
날 일	날 일	날 일	날 일	날 일	날 일

2주

每 매양 매 | 日 날 일

한자어를 익혀요

달이야. 요즘 많이 활기차 보이는 것 같아!
요즘 매일(每日) 아침에 아빠랑 뒷동산에 올라 운동을 하기 시작했어.
아침에 일어나기 힘들지 않아?
이불과 베개의 유혹만 이기면 되는걸!
잠꾸러기 달이가 대단하네.
운동을 하니까 몸도 튼튼해지고, 일출(日出)과 일광(日光)을 보면 정신도 맑아져.
오! 대단한데. 좋은 점이 많구나.
다음 달부터는 매월(每月) 등산도 하기로 했어.
운동한 것을 일기(日記)로 써도 좋겠다.
내가 매사(每事)에 빈틈이 없잖니. 벌써 쓰고 있지.
일기
딩동댕
어! 수업 시간이다.
체력이 좋아졌으니 이제 공부 열심히 하는 일만 남았…….
꾸벅 꾸벅

'每(매양 매)'와 '日(날 일)'이 들어간 한자어를 알아봅시다.

每 매양 매

日 날 일

매일(每日)

日
매양 매	날 일

뜻 각각 개별적인 나날

일출(日出)

出
날 일	날 출

뜻 해가 뜸.

매월(每月)

月
매양 매	달 월

뜻 한 달 한 달. 달마다

일광(日光)

光
날 일	빛 광

뜻 해의 빛

매사(每事)

事
매양 매	일 사

뜻 하나하나의 모든 일

일기(日記)

記
날 일	기록할 기

뜻 날마다 겪은 일이나 생각, 느낌 등을 적는 개인의 기록

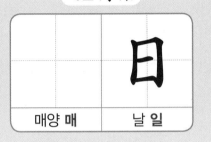

每 매양 매 | 日 날 일

기초 실력을 키워요

한자 확인

1 다음 한자의 뜻과 음(소리)으로 알맞은 것을 찾아 선으로 이으세요.

每 •	• 날 •	• 일
日 •	• 매양 •	• 매

어휘 확인

2 그림 속 내용이 맞으면 '예', 틀리면 '아니요'에 ○표 하세요.

'每事'는
'하나하나의 모든 일'
이라는 뜻입니다.

예 / 아니요

'日光'은 '월광'
이라고 읽습니다.

예 / 아니요

어휘 확인

3 다음에서 '每'가 들어 있는 낱말을 찾아 ○표 하세요.

인형을
벼룩시장에 매물로
내놓았습니다.

의류 매장에서
할인 행사를 합니다.

저는 매일 일기를
씁니다.

급수 유형

4 다음 한자의 뜻과 음(소리)을 쓰세요.

보기

前 → 앞 전

(1) 日 → (　　　　　　)

(2) 每 → (　　　　　　)

급수 유형

5 다음 밑줄 친 한자어의 독음을 쓰세요.

보기

午前 → 오전

(1) 산에 올라 <u>日出</u>을 보았습니다. → (　　　　　　)

(2) 요즘 <u>每日</u> 달리기를 하고 있습니다. → (　　　　　　)

급수 유형

6 다음 뜻에 맞는 한자어를 보기 에서 찾아 그 번호를 쓰세요.

보기

① 日光　　② 每月　　③ 每事　　④ 日出

(1) 해의 빛 → (　　　　　　)

(2) 하나하나의 모든 일 → (　　　　　　)

4일

시간 한자

昨 年

어제 작　　해 년

다음 글을 읽고, 오늘 배울 한자를 확인해 보세요.

작년(昨年)에 앞집으로 이사 오신 할머니는
내가 인사할 때마다 매번 반갑게 인사를 받아 주십니다.
그리고 인사할 때마다 올해[年] 몇 살인지를 물어보세요.
어제[昨]는 학교 끝나고 오는 길에 할머니께 별이를 소개해
드렸는데, 앞으로 별이의 나이도 물어보시겠죠?

연하게 쓰인 한자를 따라 써 본 후, 빈칸에 바르게 쓰세요.

어제 작

하루가 잠깐 사이에 지나가 버린 것을 나타내어 **어제**나 **지난날**을 뜻해요.

QR을 보며 따라 써요!

昨	昨	昨	昨	昨	昨
어제 작	어제 작	어제 작	어제 작	어제 작	어제 작

2주

해 년

볏단을 지고 가는 사람의 모습을 그린 글자로, 추수가 끝나 한해가 마무리되었다고 해서 **해**, 또는 **나이**를 뜻해요.

QR을 보며 따라 써요!

年	年	年	年	年	年
해 년	해 년	해 년	해 년	해 년	해 년

昨 어제 작 | 年 해 년

한자어를 익혀요

할머니들이 짐을 들고 가시네. 도와드리자.
작년(昨年)에 우리 앞집으로 이사 온 할머니셔.
할머니!
오 그래. 친구랑 학교 갔다 오는구나.
안녕하세요.
안녕하세요. 전 달이 친구 별이에요.
저희가 짐 들어 드릴게요.
아이고 고맙구나. 달이가 몇 학년(學年)이지? 작월(昨月)에도 물어본 것 같은데…….
5학년이면 생년(生年)이 어떻게 되지?
5학년이요.
갑자기 생각나지 않지만……. 지금 12살이에요.
작금(昨今)엔 애들이 하루가 다르게 키가 커서 나이를 가늠할 수가 없어요.
그러게나 말이에요. 우리 손자들도 덩치는 어른인데 행동은 아직 소년이에요.
제가 비록 덩치는 소년이지만 행동은 건실한 청년(青年)이죠?
아이쿠~
저런~

'昨(어제 작)'과 '年(해 년)'이 들어간 한자어를 알아봅시다.

昨 어제 작

年 해 년

작년(昨年)

어제 작	해 년
	年

뜻 이해의 바로 앞의 해

학년(學年)

배울 학	해 년
學	

뜻 일 년을 단위로 구분한 학교 교육의 단계

작월(昨月)

어제 작	달 월
	月

뜻 이달의 바로 앞의 달

생년(生年)

날 생	해 년
生	

뜻 태어난 해

작금(昨今)

어제 작	이제 금
	今

뜻 어제와 오늘을 아울러 이르는 말. 요즈음

청년(靑年)

푸를 청	해 년
靑	

뜻 신체적 · 정신적으로 한창 성장하거나 무르익은 시기에 있는 사람

2주

한자 확인

1 다음 말풍선 속 밑줄 친 뜻에 해당하는 한자를 찾아 ∨표 하세요.

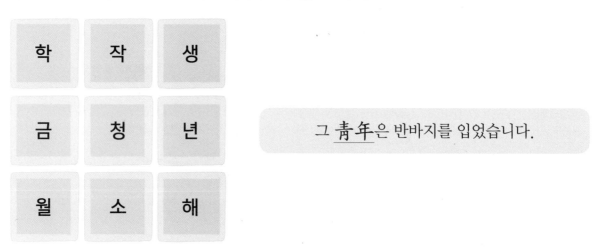

□ 昨　　□ 年

어휘 확인

2 낱말판에서 밑줄 친 한자어의 독음을 찾아 ○표 하세요.

학	작	생
금	청	년
월	소	해

그 <u>青年</u>은 반바지를 입었습니다.

어휘 확인

3 힌트를 보고 빈칸에 공통으로 들어갈 한자를 쓰세요.

□	月
今	

힌트

- □月: 이달의 바로 앞의 달
- □今: 어제와 오늘을 아울러 이르는 말. 요즈음

◐ 정답 9쪽

급수 유형

4 다음 한자의 뜻과 음(소리)을 쓰세요.

보기

每 → 매양 매

(1) 昨 → (   )

(2) 年 → (   )

급수 유형

5 다음 밑줄 친 한자어의 독음을 쓰세요.

보기

每日 → 매일

(1) 여기에 이름과 <u>生年</u>월일을 적어 주십시오. → (   )

(2) 우리나라에서는 3월에 새 <u>學年</u>이 시작됩니다. → (   )

급수 유형

6 다음 뜻에 맞는 한자어를 보기 에서 찾아 그 번호를 쓰세요.

보기

① 學年 ② 昨年 ③ 青年 ④ 生年

(1) 일 년을 단위로 구분한 학교 교육의 단계 → (   )

(2) 신체적 · 정신적으로 한창 성장하거나 무르익은 시기에 있는 사람

→ (   )

5일

시간 한자

時 代

때 시　　대신할 대

다음 글을 읽고, 오늘 배울 한자를 확인해 보세요.

선생님께서 조선 시대(時代)의 과학자인 장영실을 조사해 오라고 하셨습니다.
장영실이 살던 때[時]는 시(時)계가 없었나 봐요.
장영실이 물시(時)계를 개발했는데 세종대왕과 백성들이 감탄했다고 하네요.
물시(時)계 대신[代] 다른 것을 개발했다면
장영실이 역사 기록에 남았을까요?

오늘 배울 한자

時 代

때 시　　대신할 대

연하게 쓰인 한자를 따라 써 본 후, 빈칸에 바르게 쓰세요.

때 시

태양이 일정한 규칙에 따라 돌아간다는 뜻을 나타낸 글자로, **때**를 뜻해요.

QR을 보며 따라 써요!

時	時	時	時	時	時
때 시	때 시	때 시	때 시	때 시	때 시

대신할 대

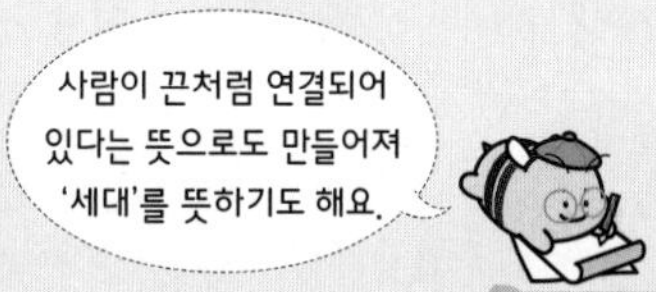

사람이 있어야 할 자리에 푯말을 세워서 사람이 할 일을 대신한다는 데서 **대신하다**를 뜻해요.

QR을 보며 따라 써요!

代	代	代	代	代	代
대신할 대	대신할 대	대신할 대	대신할 대	대신할 대	대신할 대

時 때 시 | 代 대신할 대

한자어를 익혀요

오늘 수업 시간(時間)에는 조선 시대(時代)의 과학자 장영실에 대해 배울 거예요.
장영실
네!
'장영실' 하면 무엇이 떠오르는지 이야기해 볼까요?
우리나라 최초로 자동으로 움직이는 물시계(時計)를 만드셨어요!
번쩍
이 물시계를 '자격루'라고 하는데, 이것이 장영실의 대표(代表)적인 발명품이죠.
해가 없어도 시간을 알 수 있는 물시계이옵니다.
시각을 소리로 알려 주는 자동 시계라니~ 역시 장영실!
자격루
이 자격루를 개발했을 때 세종대왕과 백성들이 동시(同時)에 감탄했다고 해요.
세종대왕은 노비 출신이었던 장영실의 재능을 알아보고 유학도 보내고 벼슬도 주었답니다.
우리가 생각했던 것보다 엄청 대단하신 과학자였네요.
그런데 임금님이 탈 가마를 제작했다가 부서지는 바람에 곤장을 맞고 관직에서 쫓겨나게 되었대요.
난 현대(現代)의 성공한 장영실이 될 거야! 무엇부터 개발할까?
과학 시간에 졸지나 마!
꽉~

'時(때 시)'와 '代(대신할 대)'가 들어간 한자어를 알아봅시다.

時 때 시

代 대신할 대

시간(時間)

	間
때 시	사이 간

뜻 어떤 시각에서 어떤 시각까지의 사이

시대(時代)

時	
때 시	대신할 대

뜻 역사적으로 어떤 표준에 의하여 구분한 일정한 기간

시계(時計)

	計
때 시	셀 계

뜻 시간을 재거나 시각을 나타내는 기계나 장치를 통틀어 이르는 말

대표(代表)

	表
대신할 대	겉 표

뜻 전체의 상태나 성질을 어느 하나로 잘 나타냄.

동시(同時)

同	
한가지 동	때 시

뜻 같은 때나 시기

현대(現代)

現	
나타날 현	대신할 대

뜻 지금의 시대

2주

時 때 시 | 代 대신할 대

기초 실력을 키워요

한자 확인

1 다음 한자를 보고, 빈칸에 알맞은 말을 쓰세요.

(　　　　　　)을/를 뜻하고, (　　　　)(이)라고 읽습니다.

(　　　　　　)을/를 뜻하고, (　　　　)(이)라고 읽습니다.

어휘 확인

2 다음 뜻에 해당하는 한자어를 찾아 선으로 이으세요.

시간을 재거나 시각을 나타내는 기계나 장치를 통틀어 이르는 말 •

• 時計

• 現代

어휘 확인

3 그림 속 내용이 맞으면 '예', 틀리면 '아니요'에 ○표 하세요.

'現代'는 '시대'라고 읽습니다.

예 / 아니요

'現代'는 '지금의 시대'라는 뜻입니다.

예 / 아니요

◐ 정답 9쪽

급수 유형

4 다음 밑줄 친 한자어의 독음을 쓰세요.

보기

昨年 → 작년

(1) 약속 時間에 늦지 않도록 일찍 나왔습니다. → (　　　　　　)

(2) 대통령은 외국에 대하여 국가를 代表하는 사람입니다. → (　　　　　　)

급수 유형

5 다음 문장에 어울리는 한자어가 되도록 [　] 안에 알맞은 한자를 보기 에서 찾아 그 번호를 쓰세요.

보기

① 時　　② 表　　③ 代　　④ 明

(1) 천둥번개가 치는 同[　]에 비가 쏟아졌습니다. → (　　　　　　)

(2) 경복궁은 조선 時[　]의 왕들이 살았던 궁전입니다. → (　　　　　　)

급수 유형

6 다음 뜻에 맞는 한자어를 보기 에서 찾아 그 번호를 쓰세요.

보기

① 時計　　② 現代　　③ 時間　　④ 代表

(1) 지금의 시대 → (　　　　　　)

(2) 어떤 시각에서 어떤 시각까지의 사이 → (　　　　　　)

2주 누구나 100점 TEST

1 다음 한자 카드의 ☐ 안에 알맞은 한자를 쓰세요.

(1)

☐
앞 전

(2)

☐
어제 작

2 한자의 뜻과 음(소리)이 바르게 쓰인 카드를 모두 찾아 V표 하세요.

☐ 每 뜰 정	☐ 午 공평할 공
☐ 方 모 방	☐ 昨 어제 작

3 다음 뜻에 해당하는 낱말을 찾아 그 번호를 쓰세요. (　　　)

자정부터 낮 열두 시까지의 시간

① 일출　② 오전　③ 정오
④ 오후　⑤ 작금

4 다음 문장의 밑줄 친 한자어를 보기에서 찾아 그 번호를 쓰세요.

보기
① 時間　② 日記　③ 事前

(1) <u>시간</u>이 날 때마다 책을 읽습니다.
→ (　　　)

(2) 사고는 <u>사전</u>에 방지할 수 있습니다.
→ (　　　)

(3) 나는 매일 <u>일기</u>를 씁니다.
→ (　　　)

5 다음 그림을 보고 ☐ 안에 들어갈 알맞은 한자를 보기에서 찾아 그 번호를 쓰세요.

보기
① 光　② 午　③ 日

● 해변에서 ☐광욕을 즐깁니다.
→ (　　　)

6 다음 한자의 뜻과 음(소리)으로 알맞은 것에 ∨표 하세요.

(1) 日 → □ 날 일 □ 흰 백

(2) 今 → □ 날 생 □ 이제 금

(3) 時 → □ 때 시 □ 사이 간

7 다음 한자의 뜻을 보기 에서 찾아 그 번호를 쓰세요.

보기
① 앞 ② 어제 ③ 대신하다

(1) 代 → ( )

(2) 前 → ( )

8 다음 밑줄 친 낱말에 해당하는 한자를 보기 에서 찾아 그 번호를 쓰세요.

보기
① 時 ② 方 ③ 每

- 저는 밥을 먹을 <u>때</u>가 제일 행복합니다. → ( )

9 다음 밑줄 친 낱말에 해당하는 한자어를 보기 에서 찾아 그 번호를 쓰세요.

보기
① 地方 ② 日記 ③ 代表

- 남산 타워는 서울의 <u>대표</u>적인 관광 명소입니다. → ( )

10 다음 십자말풀이를 보고 □ 안에 들어갈 알맞은 한자를 보기 에서 찾아 그 번호를 쓰세요. ( )

보기
① 現 ② 前 ③ 今

사	□
	방

→ 사□: 일이 일어나기 전

↓ □방: 향하고 있는 방향과 일치하는 쪽

2주

국어+한문 **다음 만화를 읽고, 성어의 뜻을 생각해 보세요.**

前代未聞

앞 **전** 대신할 **대** 아닐 **미** 들을 **문**

오늘은 운동회 계주 주자를 선발하기 위해 단거리달리기 기록을 잴 거예요.
나는 달리기가 제일 싫어.
왜 달리기가 싫어? 난 달리기 좋아하는데.
아무리 열심히 뛰어도 기록이 안 나오니까 하기가 싫어. 넌 100 m를 몇 초에 뛰어?
15초 정도? 나도 예전엔 속도가 느렸는데 연습하니까 조금씩 빨라졌어.
너랑 뛰면 상대적으로 더 못 뛰는 것처럼 보이겠다. 조금만 천천히 뛰어 주지 않을래?
응?

◆ 성어의 뜻을 살펴보며 빈칸에 알맞은 한자를 채우세요.

전

대

미
未

문
聞

→ '지난 시대에는 들어 본 적이 없다.'라는 뜻으로, 매우 놀랍거나 새로운 일을 이르는 말

2주 특강 생각을 키워요 ②

창의·융합·코딩

📖 코딩+한문 암호 규칙 을 이용하여 시간의 방 암호를 풀고 탈출해 봅시다.

암호 규칙

時	年	代	前	代	昨
ㅍ	ㅏ	ㄴ	ㅁ	ㅜ	ㅂ

每	午	月	方	日	母
ㅇ	ㅓ	ㅋ	ㅡ	ㄱ	ㅎ

모방
代 方
앞 전
前 今
날 일
月 日
괴도가 이 방을 언제 나갔는지 알아야 우리도 이 방에서 빠져나갈 수 있어! 암호를 풀어 보자.
시작!

◐ 정답 11쪽

- 각 상자 안에 뜻과 음(소리)이 쓰여 있습니다. 길을 따라가 알맞은 한자를 찾고 **암호 규칙** 을 참고하여 한글의 자음과 모음으로 조합된 방 암호를 풀어 보세요.

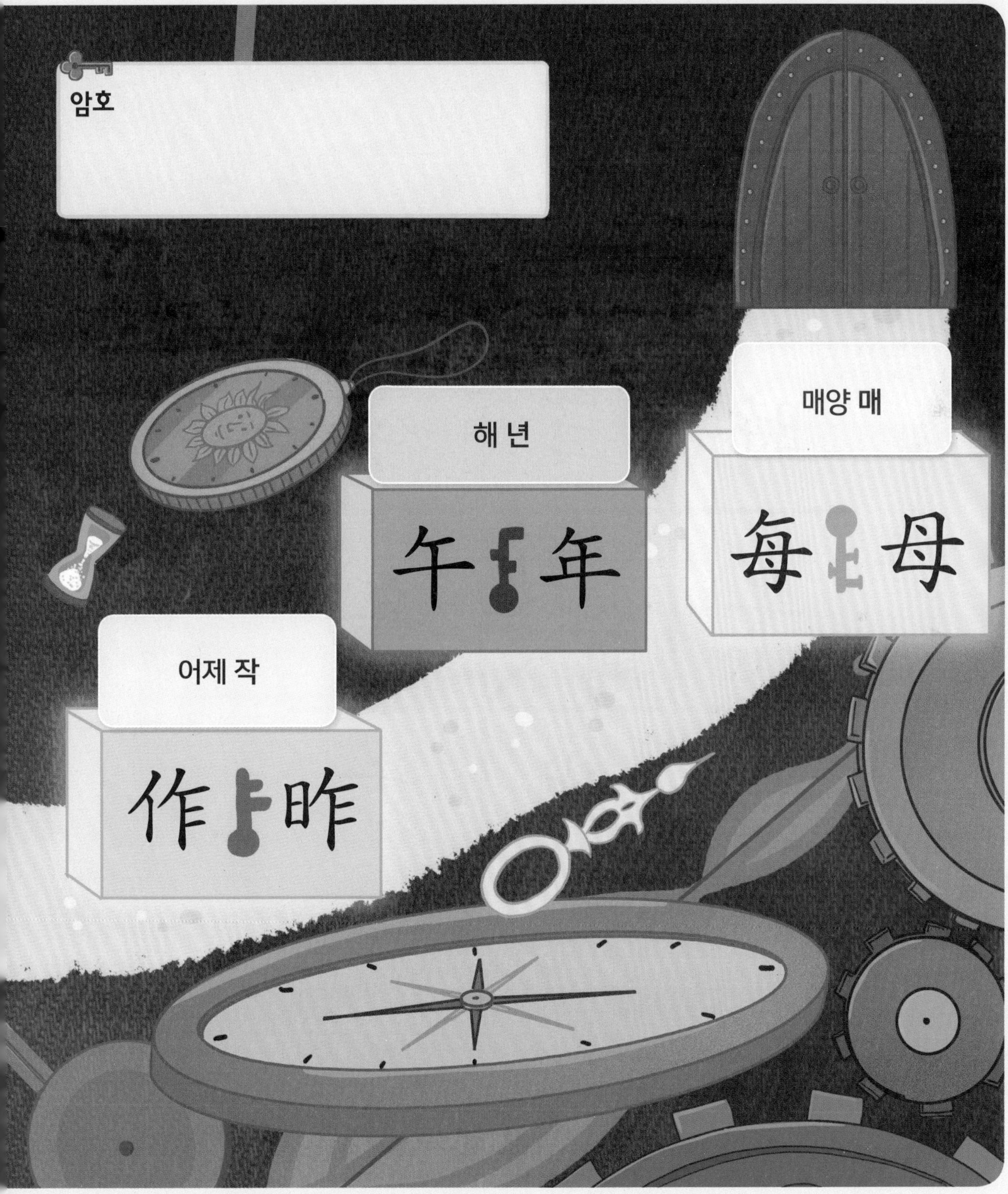

생각을 키워요 ③

융합+한문 도형 암호의 규칙을 찾아 해독하여 답을 구해 보세요.

풀이 예시

암호 규칙에서 는 日을, 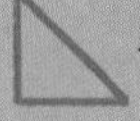는 前을 나타냅니다.

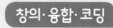

민지는 소영이로부터 중간중간 알 수 없는 도형이 섞인 편지를 받았습니다. 암호 규칙을 이용하여 편지 내용을 풀어 보세요.

민지야, 안녕?

우리가 벌써 5학이 되었다니…….

나는 너와 부터 같은 반이 되어서 아주 좋았어.

 학교도 같이 다니고 숙제도 같이하고 말야.

, 후에 수업 끝나고 학교 에 있는 떡볶이 가게에 가지 않을래?

난 오늘 청소 당번이라 3까지 떡볶이 가게로 갈게.

너 먼저 가 있어.

소영이가

1 민지와 소영이는 몇 학년 때부터 같은 반이었는지 쓰세요.

(　　　　　　)

2 민지와 소영이가 만나기로 한 떡볶이 가게의 위치를 지도에서 찾아 ∨표 하세요.

3주 3주에는 무엇을 공부할까? ①

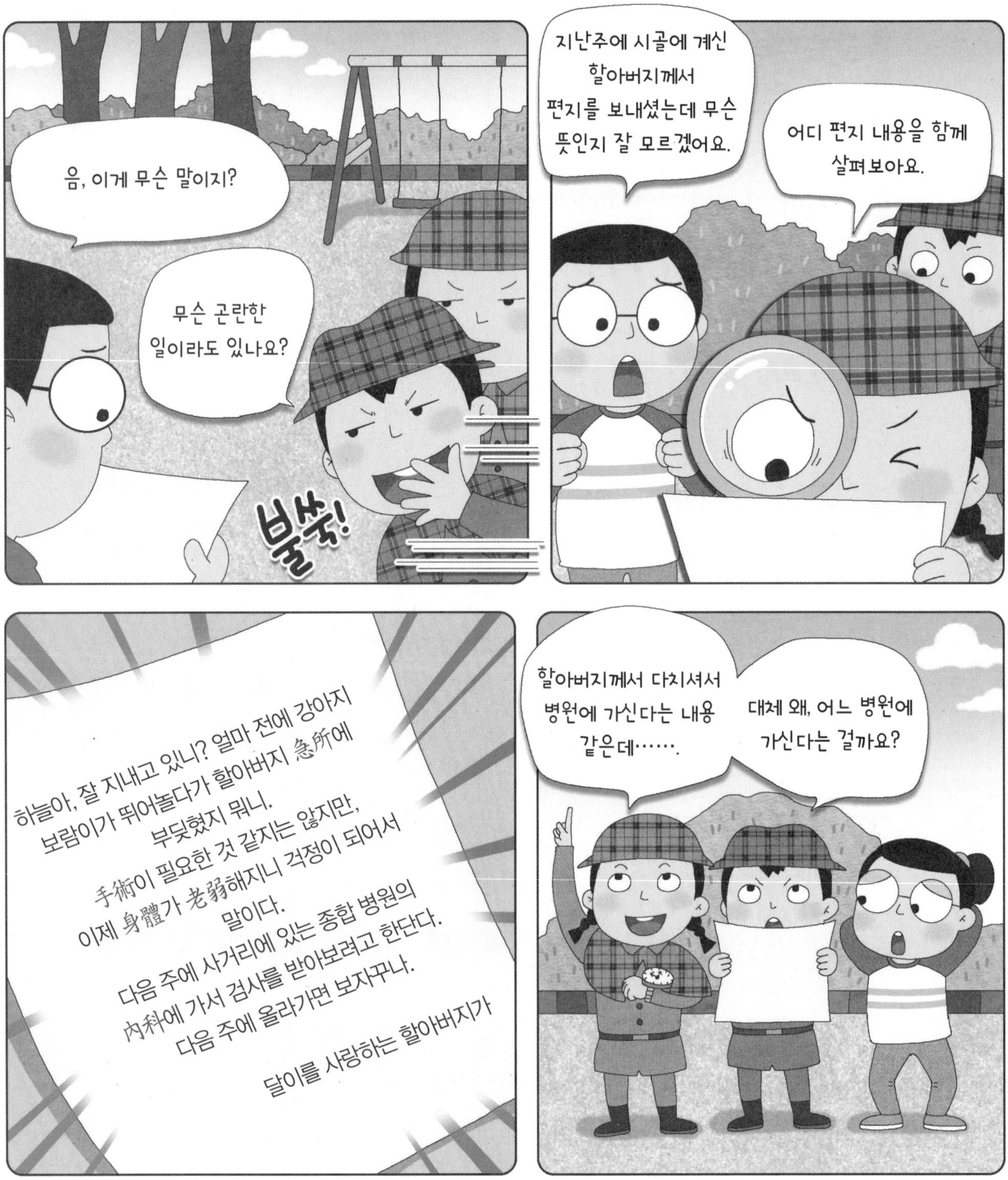

음, 이게 무슨 말이지?
무슨 곤란한 일이라도 있나요?
불쑥!
지난주에 시골에 계신 할아버지께서 편지를 보내셨는데 무슨 뜻인지 잘 모르겠어요.
어디 편지 내용을 함께 살펴보아요.
하늘아, 잘 지내고 있니? 얼마 전에 강아지 보람이가 뛰어놀다가 할아버지 急所에 부딪혔지 뭐니.
手術이 필요한 것 같지는 않지만, 이제 身體가 老弱해지니 걱정이 되어서 말이다.
다음 주에 사거리에 있는 종합 병원의 内科에 가서 검사를 받아보려고 한단다. 다음 주에 올라가면 보자꾸나.
달이를 사랑하는 할아버지가
할아버지께서 다치셔서 병원에 가신다는 내용 같은데…….
대체 왜, 어느 병원에 가신다는 걸까요?

이번 주에는 어떤 한자를 공부할까?

1일 身 몸 신 | 體 몸 체

2일 急 급할 급 | 所 바 소

3일 老 늙을 로 | 弱 약할 약

4일 內 안 내 | 科 과목 과

5일 手 손 수 | 術 재주 술

우선 건강과 관련된 한자를 알아야 할아버지께서 어디가 편찮으시고, 어느 병원을 가셨는지 알 수 있을 것 같아요. 하나씩 풀어 볼까요?
하늘아, 잘 지내고 있니? 얼마 전에 강아지 보람이가 뛰어놀다가 할아버지 급소에 부딪혔지 뭐니.
수술이 필요한 것 같지는 않지만, 이제 신체가 노약해지니 걱정이 되어서 말이다.
다음 주에 사거리에 있는 종합 병원의 내과에 가서 검사를 받아보려고 한단다.
다음 주에 올라가면 보자꾸나.
달이를 사랑하는 할아버지가
……라는 내용인가 봐요.
고맙습니다! 덕분에 할아버지 병문안을 갈 수 있겠어요.
하하, 오늘도 내가 사건을 하나 해결했군!
저는 어서 빨리 병원으로 가 볼게요! 안녕히 가세요!
앗, 병원은 반대 방향이에요!

3주 3주에는 무엇을 공부할까? ②

이번 주에 배울 한자들이 그림 속에 숨어 있어요. 보기를 참고해서 숨은 한자를 찾아 ○표 하고, 색깔이 다른 한자가 있는 곳에서 하늘이의 할아버지를 찾아 ∨표 하세요.

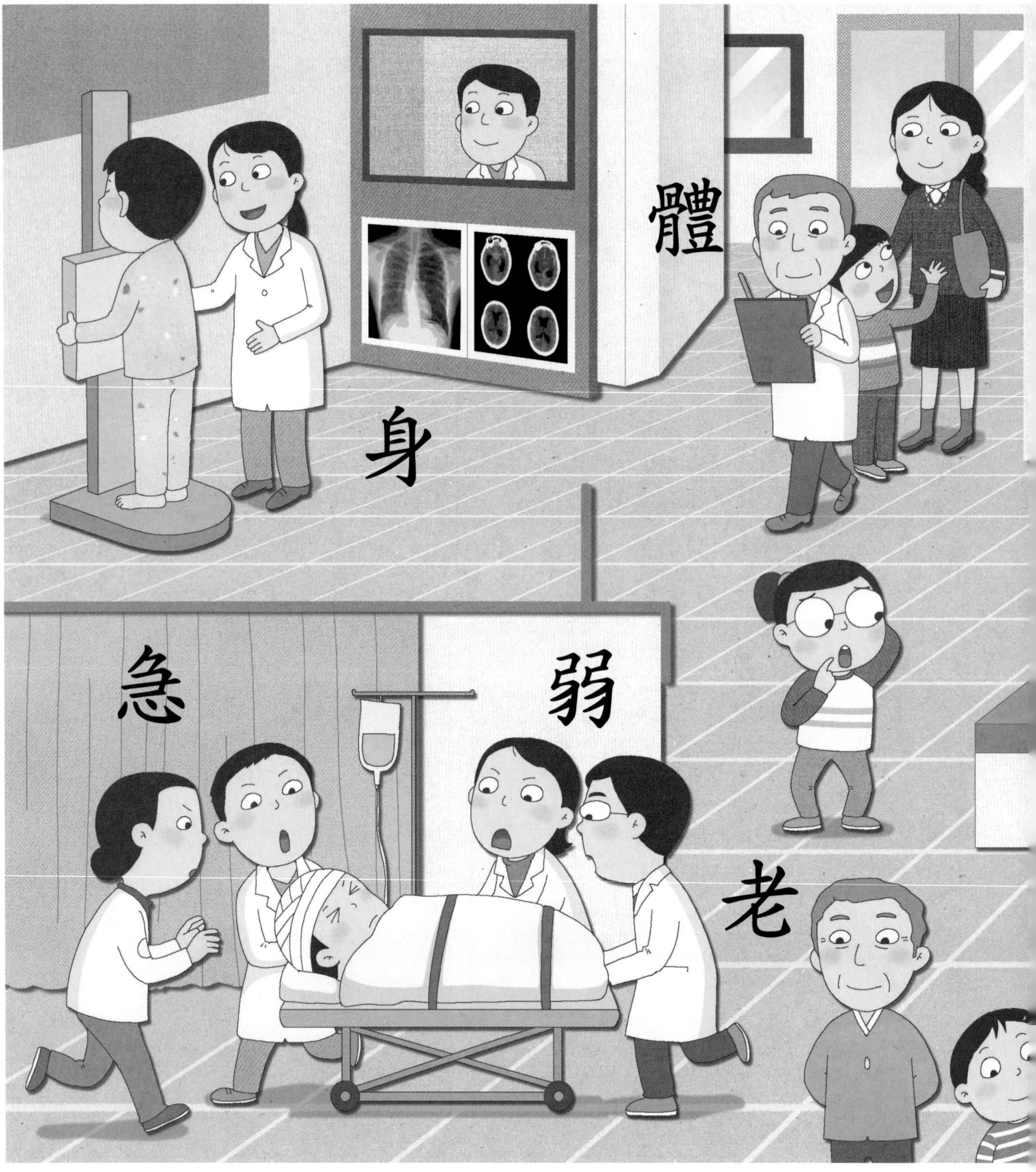

◐ 정답 12쪽

보기

身 몸 신	體 몸 체	急 급할 급	所 바 소	老 늙을 로
弱 약할 약	内 안 내	科 과목 과	手 손 수	術 재주 술

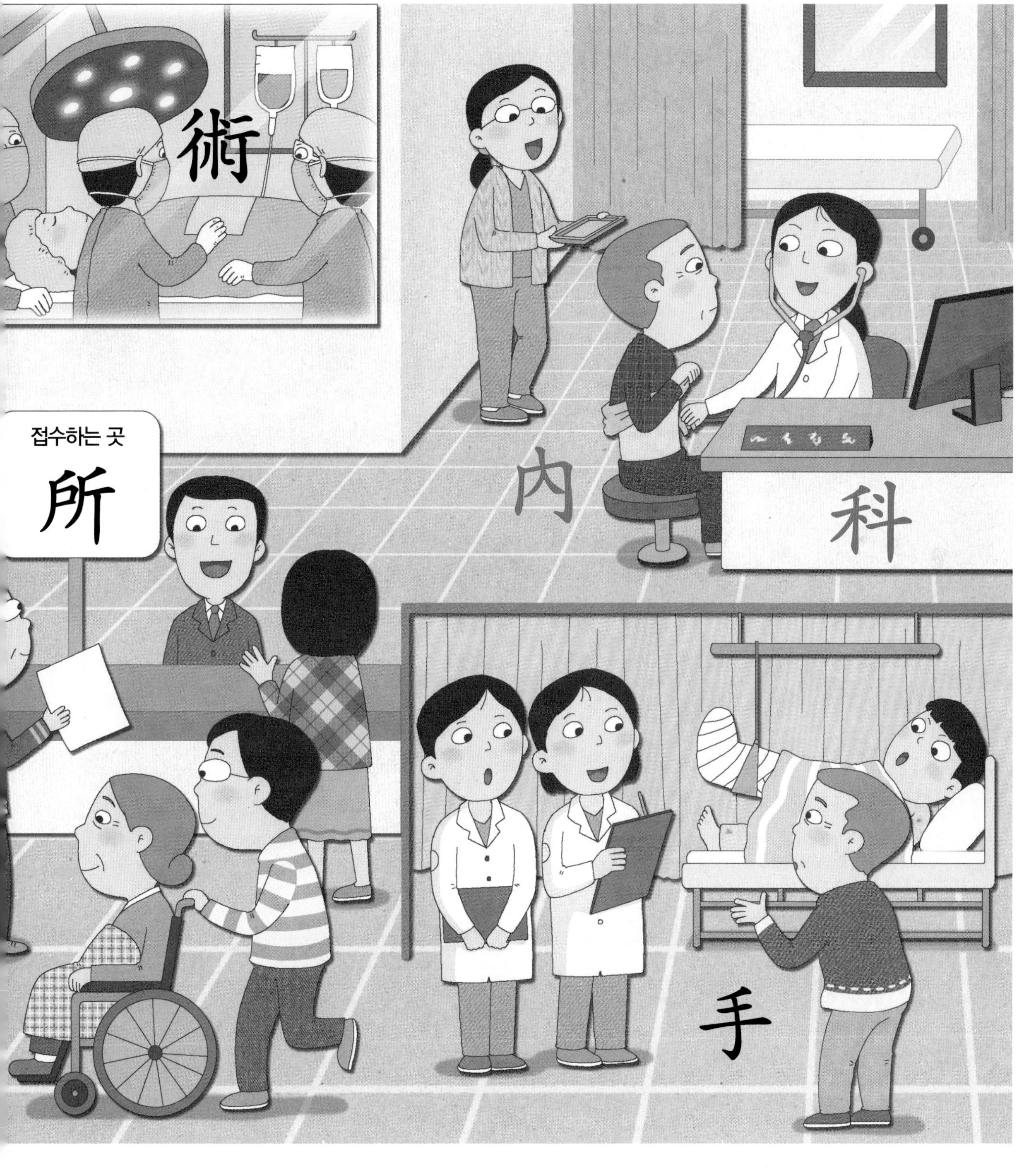

1일

건강 한자

身 體

몸 신 몸 체

다음 글을 읽고, 오늘 배울 한자를 확인해 보세요.

냠냠, 나는 달콤한 간식을 먹을 때가 가장 행복합니다.
하지만 부모님께서는 내가 또래 친구들과 신(身)장은 비슷한데,
몸[體]무게는 많이 나간다며 걱정하십니다.
맛있는 간식도 먹으면서 건강한 신체(身體)를
유지하려면 어떻게 해야 할까요?

오늘 배울 한자

身 體
몸 신 몸 체

연하게 쓰인 한자를 따라 써 본 후, 빈칸에 바르게 쓰세요.

몸 신

아이를 임신하여 배가 부른 여자의 모습을 본뜬 글자로, **몸**을 뜻해요.

QR을 보며 따라 써요!

身	身	身	身	身	身
몸 신	몸 신	몸 신	몸 신	몸 신	몸 신

몸 체

뼈의 모양과 곡식을 가득 담은 모습을 나타낸 글자로, **몸**, **물체**를 뜻해요.

QR을 보며 따라 써요!

體	體	體	體	體	體
몸 체	몸 체	몸 체	몸 체	몸 체	몸 체

3주

身 몸 신 | 體 몸 체

한자어를 익혀요

나 요즘 체중(體重)이 많이 늘어서 고민이야.
오물 오물
하지만 너는 신장(身長)도 크잖아. 키가 크면 몸무게도 느는 것이 당연해.
그래서 난 체육(體育) 시간 외에도 건강해지기 위해 열심히 노력하고 있어.
와, 어떤 노력?
명상과 숨쉬기 운동을 하고 있지!
뭐라고?
잠시 후
심신(心身)이 모두 건강해야 진짜로 건강한 것이 아니겠어? 하하하!
마음은 둘째 치고 신체(身體)는 건강한 것 맞아?
으악!
자! 어때! 정말 튼튼하지?
척!
다른 건 몰라도 하체(下體)는 확실히 튼실하구나.

'身(몸 신)'과 '體(몸 체)'가 들어간 한자어를 알아봅시다.

身 몸 신

신장(身長)

身	長
몸 신	긴 장

뜻 머리끝에서 발바닥까지 이르는 몸의 길이

심신(心身)

心	身
마음 심	몸 신

뜻 마음과 몸

신체(身體)

身	體
몸 신	몸 체

뜻 사람의 몸

體 몸 체

체중(體重)

體	重
몸 체	무거울 중

뜻 몸의 무게

체육(體育)

體	育
몸 체	기를 육

뜻 운동 등으로 몸을 튼튼하게 만드는 것

하체(下體)

下	體
아래 하	몸 체

뜻 물체나 신체의 아랫부분

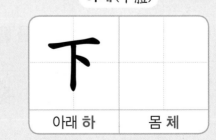

한자 확인

1 다음 한자의 뜻과 음(소리)으로 알맞은 것을 찾아 선으로 이으세요.

體 •

• 몸 체

• 몸 신

어휘 확인

2 ◯에 알맞은 글자를 넣어 낱말을 만드세요.

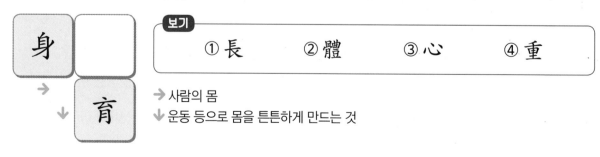

◯장

머리끝에서 발바닥까지 이르는 몸의 길이

하◯

물체나 신체의 아랫부분

어휘 확인

3 빈칸에 공통으로 들어갈 한자를 보기 에서 찾아 그 번호를 쓰세요. (　　　　)

身	□
	育

보기
① 長　② 體　③ 心　④ 重

→ 사람의 몸
↓ 운동 등으로 몸을 튼튼하게 만드는 것

급수 유형

4 다음 밑줄 친 한자어의 독음을 쓰세요.

보기
時代 → 시대

(1) 건강한 身體에 건전한 정신이 깃듭니다. → (　　　　　　)

(2) 體重을 줄이기 위해서는 식단 조절이 필요합니다. → (　　　　　　)

급수 유형

5 다음 문장에 어울리는 한자어가 되도록 [　] 안에 알맞은 한자를 보기 에서 찾아 그 번호를 쓰세요.

보기
① 重　　② 體　　③ 長　　④ 身

(1) 오랜만에 산에 오르니 心[　]이 상쾌해졌습니다. → (　　　　　　)

(2) 우리 동네에는 [　]育 시설이 매우 많습니다. → (　　　　　　)

급수 유형

6 다음 뜻에 맞는 한자어를 보기 에서 찾아 그 번호를 쓰세요.

보기
① 身長　　② 體重　　③ 心身　　④ 下體

(1) 머리끝에서 발바닥까지 이르는 몸의 길이 → (　　　　　　)

(2) 몸의 무게 → (　　　　　　)

2일

건강 한자

急 所

급할 급　　바 소

다음 글을 읽고, 오늘 배울 한자를 확인해 보세요.

오늘 본 한자 시험에서 백 점을 받았습니다.
바라던 바[所]를 이루어 너무 기쁜 마음에
부모님께 알리려고 급(急)하게 집에 뛰어오다가
넘어질 뻔 했지만, 가족들 모두 함께 축하해 주셔서
기분이 좋았습니다.
다른 과목도 더욱 열심히 공부해야겠습니다.

오늘 배울 한자

急 所

급할 급　　바 소

연하게 쓰인 한자를 따라 써 본 후, 빈칸에 바르게 쓰세요.

급할 급

떠나는 사람을 붙잡고 싶은 초조한 마음이라는 데서 **급하다**는 뜻이 되었어요.

QR을 보며 따라 써요!

急	急	急	急	急	急
급할 급	급할 급	급할 급	급할 급	급할 급	급할 급

바 소

본래 나무를 찍는 도끼 소리를 나타내는 글자였으나 후에 뜻이 변하여 **곳**, **바**를 뜻하게 되었어요.

QR을 보며 따라 써요!

所	所	所	所	所	所
바 소	바 소	바 소	바 소	바 소	바 소

急 급할 급 | 所 바 소

한자어를 익혀요

엄마, 아빠!
후다닥
무슨 화급(火急)한 일이라도 있니?
저 오늘 본 한자 시험을 다 맞았어요!
세상에, 우리 별이가 그동안 열심히 한자 공부를 하더니 실력이 급성장(急成長)했구나.
매일 공부해도 모르는 한자가 많아서 소용(所用)이 없는 줄 알았는데, 조금씩 실력이 늘고 있었나 봐요!
고생했어. 축하한다.
이 기쁜 일을 소문(所聞) 내고 싶은데 할아버지, 할머니께 전화를 드릴까?
네, 좋아요!
뭐? 어릴 때는 시험에서 곧잘 빵점을 받아오기도 하더니 이제는 한자 박사가 다 되었구나! 이 할아버지가 목공소(木工所)에서 만든 액자를 선물로 보내 주마! 하하!
화끈
사실 네가 예전에 매일 받아쓰기를 다 틀려서 엄마도 얼마나 걱정했는지 몰라.
으악, 갑자기 이렇게 급소(急所)를 찌르시다니……

'急(급할 급)'과 '所(바 소)'가 들어간 한자어를 알아봅시다.

急 급할 급

所 바 소

화급(火急)

火	
불 화	급할 급

뜻 건잡을 수 없이 타는 불처럼 매우 급함.

소용(所用)

	用
바 소	쓸 용

뜻 쓸 곳이나 방법

급성장(急成長)

	成	長
급할 급	이룰 성	긴 장

뜻 사물의 규모가 급격하게 커짐.

소문(所聞)

	聞
바 소	들을 문

뜻 사람들의 입에서 입으로 전하여 들리는 말

급소(急所)

	所
급할 급	바 소

急은 '중요하다'라는 뜻도 있어요!

뜻 조금만 다쳐도 생명이 위험할 수 있는 몸의 중요한 부분

목공소(木工所)

木	工	
나무 목	장인 공	바 소

뜻 나무로 가구나 창틀, 문 등의 물건을 만드는 곳

2일 급할급 | 所 바 소 **기초 실력을 키워요**

건강 한자

 한자 확인

1 그림 속 한자의 뜻과 음(소리)으로 알맞은 것을 찾아 ◯표 하세요.

등급 급	급할 급

바 소	작을 소

어휘 확인

2 한자어판에서 **설명** 에 해당하는 한자어를 찾아 ◯표 하세요.

長	成	聞
工	急	木
所	火	用

설명
조금만 다쳐도 생명이 위험할
수 있는 몸의 중요한 부분

어휘 확인

3 다음 ☐에 들어갈 한자로 알맞은 것을 찾아 ∨표 하세요.

잭이 땅에 마법의 콩을 심었더니 하루 만에
☐성장하여 하늘까지 자랐습니다.

☐ 急	☐ 所

기초 집중 연습

급수 유형

4 다음 한자의 뜻과 음(소리)을 쓰세요.

보기
身 → 몸 신

(1) 急 → (　　　　　)

(2) 所 → (　　　　　)

급수 유형

5 다음 문장에 어울리는 한자어가 되도록 [　] 안에 알맞은 한자를 보기에서 찾아 그 번호를 쓰세요.

보기
① 所　② 長　③ 工　④ 急

(1) 동생은 마을에서 [　]聞난 개구쟁이입니다. → (　　　　　)

(2) 숙모는 집에 火[　]한 일이 생겼다며 달려가셨습니다. → (　　　　　)

급수 유형

6 다음 뜻에 맞는 한자어를 보기에서 찾아 그 번호를 쓰세요.

보기
① 木工所　② 所用　③ 急成長　④ 急所

(1) 사물의 규모가 급격하게 커짐. → (　　　　　)

(2) 나무로 가구나 창틀, 문 등의 물건을 만드는 곳 → (　　　　　)

3일

건강 한자

老 弱

늙을 로　　약할 약

다음 글을 읽고, 오늘 배울 한자를 확인해 보세요.

오늘 친구와 지하철을 타고
교외에 나들이를 갔습니다.
지하철에는 서 있는 사람이 많았지만
나이 든[老] 사람과 몸이 불편하고 약한[弱]
사람을 위한 자리가 비어 있었습니다.
나도 이제부터는 노(老)인과 약한[弱] 사람을
배려하고 양보하는 마음을 가져야겠습니다.

연하게 쓰인 한자를 따라 써 본 후, 빈칸에 바르게 쓰세요.

늙을 로

등이 구부정한 노인이 지팡이를 짚고 있는 모습을 본뜬 글자로, **늙다**라는 뜻이에요.

QR을 보며 따라 써요!

老	老	老	老	老	老
늙을 로	늙을 로	늙을 로	늙을 로	늙을 로	늙을 로

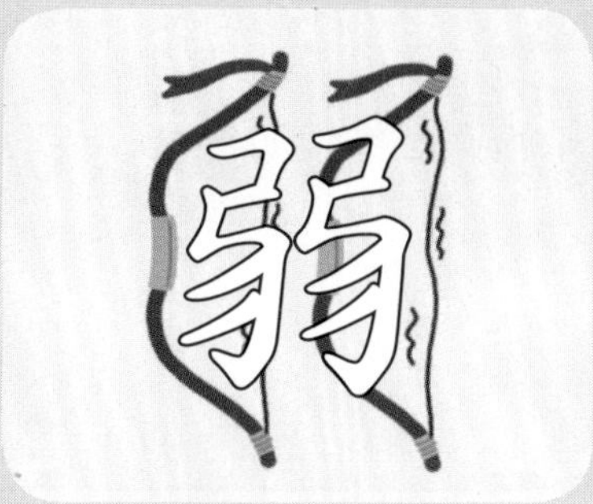

약할 약

활시위가 약하여 떨리는 모습을 나타낸 글자로, **약하다**는 뜻이에요.

QR을 보며 따라 써요!

弱	弱	弱	弱	弱	弱
약할 약	약할 약	약할 약	약할 약	약할 약	약할 약

3일 건강 한자

老 늙을 로 | 弱 약할 약

한자어를 익혀요

'老(늙을 로)'와 '弱(약할 약)'이 들어간 한자어를 알아봅시다.

老 늙을 로

弱 약할 약

노약(老弱)

'老'가 낱말의
맨 앞에 올 때는
'노'라고 읽어요.

	弱
늙을 로	약할 약

'老弱하다'는 말에는
'늙어서 쇠약해지다.'
라는 뜻도 있어요!

뜻 늙은 사람과 약한 사람을 함께 이르는 말

약소(弱小)

	小
약할 약	작을 소

뜻 약하고 작음.

연로(年老)

'年'이 낱말의
맨 앞에 올 때는
'연'이라고 읽어요.

年	
해 년	늙을 로

뜻 나이가 많음.

약체(弱體)

	體
약할 약	몸 체

뜻 허약한 몸. 실력이나 능력이 약한 조직체

노인(老人)

	人
늙을 로	사람 인

뜻 나이 든 사람

심약(心弱)

心	
마음 심	약할 약

뜻 마음이 여리고 약함.

3주

老 늙을 로 | 弱 약할 약

기초 실력을 키워요

한자 확인

1 다음 한자와 뜻이 반대되는 낱말을 찾아 선으로 이으세요.

老 •

• 젊다

• 가볍다

어휘 확인

2 다음 그림에서 ◌ 표시된 것과 설명이 의미하는 낱말을 쓰세요.

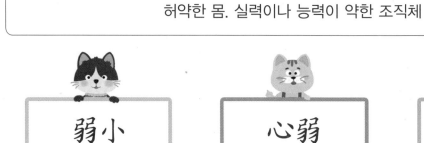

나이 든 사람

→ (　　　　　)

어휘 확인

3 다음 설명에 해당하는 한자어를 찾아 ○표 하세요.

설명

허약한 몸. 실력이나 능력이 약한 조직체

弱小	心弱	弱體

기초 집중 연습

급수 유형

4 다음 한자의 뜻과 음(소리)을 쓰세요.

보기

急 → 급할 급

(1) 老 → (　　　　　　)

(2) 弱 → (　　　　　　)

급수 유형

5 다음 밑줄 친 한자어의 독음을 쓰세요.

보기

急所 → 급소

(1) 年老하신 할아버지는 지팡이를 짚고 다니십니다. → (　　　　　　)

(2) 우리나라는 과거에 弱小했지만 오늘날 눈부시게 성장했습니다.
→ (　　　　　　)

급수 유형

6 다음 문장에 어울리는 한자어가 되도록 [ ] 안에 알맞은 한자를 보기에서 찾아 그 번호를 쓰세요.

보기

① 老　　② 體　　③ 小　　④ 弱

(1) 우리는 [ ]人을 공경해야 합니다. → (　　　　　　)

(2) 오빠는 벌레 한 마리 죽이지 못할 정도로 心[ ]합니다. → (　　　　　　)

4일

건강 한자

內 科

안 내　　과목 과

다음 글을 읽고, 오늘 배울 한자를 확인해 보세요.

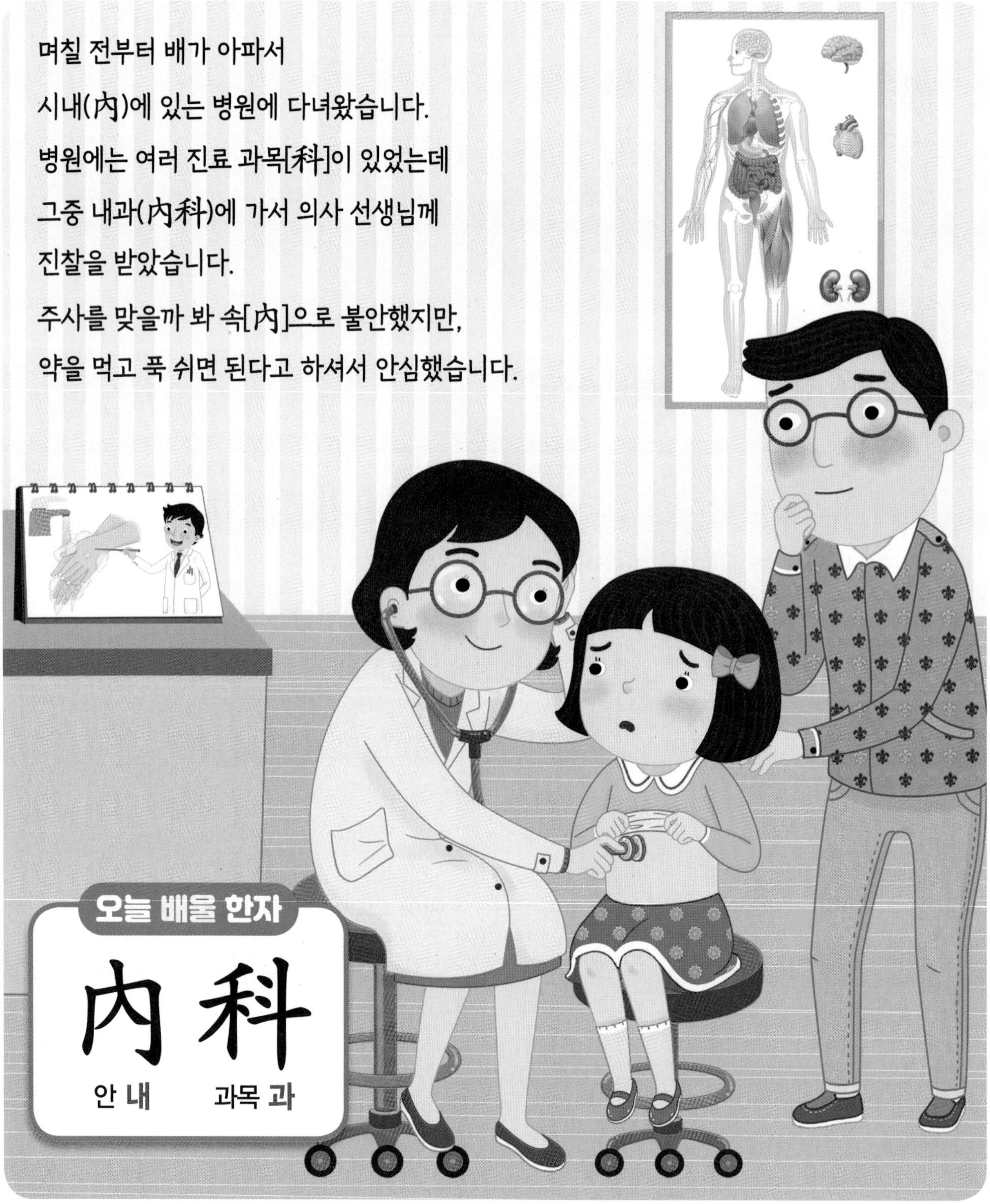

며칠 전부터 배가 아파서
시내(內)에 있는 병원에 다녀왔습니다.
병원에는 여러 진료 과목[科]이 있었는데
그중 내과(內科)에 가서 의사 선생님께
진찰을 받았습니다.
주사를 맞을까 봐 속[內]으로 불안했지만,
약을 먹고 푹 쉬면 된다고 하셔서 안심했습니다.

오늘 배울 한자

內 科

안 내　　과목 과

연하게 쓰인 한자를 따라 써 본 후, 빈칸에 바르게 쓰세요.

안 내

기둥이 지붕을 받치고 있는 옛날 집의 내부를 본 뜬 글자로, **안**, **속**을 뜻해요.

QR을 보며 따라 써요!

内	内	内	内	内	内
안 내	안 내	안 내	안 내	안 내	안 내

과목 과

벼와 같은 곡식을 말로 재어 알맞게 나누는 것으로, **과목**, **등급**을 뜻해요.

QR을 보며 따라 써요!

科	科	科	科	科	科
과목 과	과목 과	과목 과	과목 과	과목 과	과목 과

3주

內 안 내 | 科 과목 과

한자어를 익혀요

아빠, 저 병원에 안 가면 안 돼요?
우물쭈물
병원에 가지 않으면 계속 배가 아플 거야. 날씨가 제법 추우니 어서 실내(室內)로 들어가자.
건물 내외(內外) 할 것 없이 사람이 참 많아요.
화장실
그렇네. 우리는 어디로 가야 하는지 한번 볼까?
여기에 각 층의 진료 과목(科目)이 쓰여 있네. 내과(內科)는 3층에 있어.
3층 내과(內科)
2층 산부인과
1층 소아과
B1층 주차장
네, 아빠! 3층으로 가요.
음, 너무 많이 먹어서 배탈이 났구나. 며칠 약을 먹어 보자.
감사합니다, 선생님.
주사를 맞아야 할까 봐 내심(內心) 걱정했는데 다행이에요. 저도 나중에 의사 선생님처럼 아픈 사람을 치료해 주고 싶어요!
그럼 우리 오늘부터 아빠랑 같이 교과서(教科書) 예습·복습부터 열심히 해 볼까?
1과 진료실
음…….

'内(안 내)'와 '科(과목 과)'가 들어간 한자어를 알아봅시다.

内 안 내

科 과목 과

실내(室内)

室	
집 실	안 내

뜻 방이나 건물의 안

과목(科目)

	目
과목 과	눈 목

뜻 가르치거나 배워야 할 어떤 것을 일정한 기준에 따라 분류한 것

내외(内外)

	外
안 내	바깥 외

뜻 안과 밖을 함께 이르는 말. 남편과 아내

내과(内科)

内	
안 내	과목 과

뜻 몸 안에 생긴 병을 치료하는 의료 분야

내심(内心)

	心
안 내	마음 심

뜻 겉으로 드러나지 않은 실제 마음. 속마음

교과서(教科書)

教		書
가르칠 교	과목 과	글 서

뜻 학교에서 교재로 사용하려고 만든 책

內 안 내 | 科 과목 과

기초 실력을 키워요

한자 확인

1 그림 속 한자의 뜻과 음(소리)으로 알맞은 것을 찾아 ○표 하세요.

內

안 내 바깥 외

科

벼 화 과목 과

어휘 확인

2 그림 속 내용이 맞으면 '예', 틀리면 '아니요'에 ○표 하세요.

'內科'는 '몸 안에 생긴 병을 치료하는 의료 분야'를 뜻합니다.

예 아니요

'室內'는 '가내'라고 읽습니다.

예 아니요

어휘 확인

3 다음 □에 들어갈 한자로 알맞은 것을 찾아 ∨표 하세요.

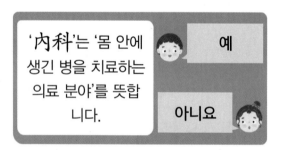

고양이가 나를 따르지 않아서 □心 섭섭했습니다.

□ 內 □ 科

급수 유형

4 다음 밑줄 친 한자어의 독음을 쓰세요.

보기

弱小 → 약소

(1) 관중들이 경기장 <u>內外</u>를 가득 메웠습니다. → (　　　　　　)

(2) 시험에 대비하여 <u>敎科書</u>를 열심히 공부했습니다. → (　　　　　　)

급수 유형

5 다음 문장에 어울리는 한자어가 되도록 [　] 안에 알맞은 한자를 보기에서 찾아 그 번호를 쓰세요.

보기

① 敎　　② 科　　③ 外　　④ 內

(1) 날씨가 너무 추워서 황급히 <u>室[　]</u>로 들어갔습니다. → (　　　　　　)

(2) 내일은 수학 <u>[　]目</u> 시험을 보는 날입니다. → (　　　　　　)

급수 유형

6 다음 뜻에 맞는 한자어를 보기에서 찾아 그 번호를 쓰세요.

보기

① 敎科書　　② 內外　　③ 室內　　④ 內心

(1) 겉으로 드러나지 않은 실제 마음. 속마음 → (　　　　　　)

(2) 학교에서 교재로 사용하려고 만든 책 → (　　　　　　)

5일

건강 한자

手 術

손 수 재주 술

다음 글을 읽고, 오늘 배울 한자를 확인해 보세요.

주말에 손[手]을 다치신 삼촌의 병문안을 갔습니다.
목수(手) 일을 하시는 삼촌은 재주[術]가 좋으셔서
나무로 이것저것 만들어 주십니다.
삼촌은 평소에 수(手)화로 말씀하시기 때문에
많이 불편해 보였습니다.
어서 빨리 삼촌의 손[手]이 나았으면 좋겠습니다.

오늘 배울 한자

手 術

손 수 재주 술

연하게 쓰인 한자를 따라 써 본 후, 빈칸에 바르게 쓰세요.

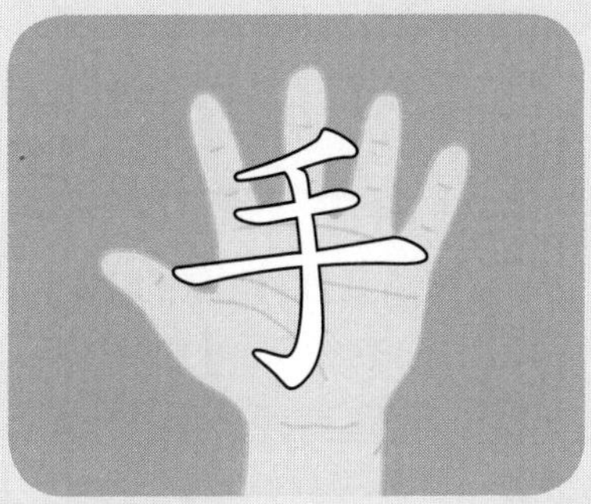

손 수

다섯 손가락을 편 모양을 본뜬 글자로, **손**을 뜻해요. 또 손을 써서 일하는 **재주**나 **사람**을 뜻하기도 해요.

QR을 보며 따라 써요!

手	手	手	手	手	手
손 수	손 수	손 수	손 수	손 수	손 수

재주 술

손을 빠르게 움직이는 모양을 나타낸 글자로, **재주**, **꾀**를 뜻해요.

QR을 보며 따라 써요!

術	術	術	術	術	術
재주 술	재주 술	재주 술	재주 술	재주 술	재주 술

手 손 수 | 術 재주 술

삼촌!
수술(手術) 받은 곳은 어떠세요?
괜찮습니다.
괜찮다니 다행이지만, 직업이 목수(木手)인데 당분간 일을 못 해서 큰일이네.
손짓으로도 대화할 수 있다니. 정말 신기하다!
손짓으로 전달하는 언어를 수화(手話)라고 한대.
삼촌, 아무쪼록 무리하지 마시고 빨리 건강을 되찾으시길 바라옵니다.
허허, 우리 달이가 그새 화술(話術)이 많이 늘었구나!
멋지다! 이 인형 저희에게 선물로 주시는 거예요?
와, 고맙습니다! 팔다리는 수동(手動)으로 움직일 수도 있네요.
헤헤, 나 잡으면 주지!
엄마! 오빠 좀 보세요.
달이 너, 심술(心術) 부리지 말고 얼른 동생 주렴!

'手(손 수)'와 '術(재주 술)'이 들어간 한자어를 알아봅시다.

手 손 수

術 재주 술

목수(木手)

木	
나무 목	손 수

뜻 나무로 집이나 가구 등을 만드는 일을 하는 사람

수술(手術)

手	
손 수	재주 술

뜻 신체 부위를 자르거나 째는 등 조작을 하여 병을 고치는 방법

수화(手話)

	話
손 수	말씀 화

뜻 청각 장애가 있는 사람들이 손을 움직여 뜻을 전달하는 언어

화술(話術)

話	
말씀 화	재주 술

뜻 말을 잘하는 재주나 능력

수동(手動)

	動
손 수	움직일 동

뜻 손의 힘만으로 움직이게 되어 있는 것

심술(心術)

心	
마음 심	재주 술

뜻 남을 골리기 좋아하는 마음보

手 손수 | 術 재주 술

기초 실력을 키워요

한자 확인

1 다음에서 '術'의 뜻과 음(소리)을 찾아 ◯표 하세요.

재주 **술**

말씀 **화**

손 **수**

어휘 확인

2 다음 문장의 뜻에 알맞은 낱말을 찾아 ◯표 하세요.

신체 부위를 자르거나 째서 병을 고치는 방법을
(수술 / 화술)이라고 합니다.

어휘 확인

3 힌트를 보고 다음 빈칸에 들어갈 알맞은 글자를 써넣으세요.

힌트
• ☐동: 손의 힘만으로 움직이게 되어 있는 것
• ☐화: 청각 장애가 있는 사람들이 손을 움직여 뜻을 전달하는 언어

급수 유형

4 다음 밑줄 친 한자어의 독음을 쓰세요.

보기
內科 → 내과

(1) 삼촌은 手話를 이용하여 대화하십니다. → (   )

(2) 직업이 아나운서인 고모는 남들보다 話術이 뛰어납니다. → (   )

급수 유형

5 다음 문장에 어울리는 한자어가 되도록 [ ] 안에 알맞은 한자를 보기 에서 찾아 그 번호를 쓰세요.

보기
① 手 ② 術 ③ 道 ④ 動

(1) 자동문이 고장 나서 [ ]動으로 밀어야 열립니다. → (   )

(2) 心[ ] 맞은 놀부는 흥부네 가족을 내쫓았습니다. → (   )

급수 유형

6 다음 뜻에 맞는 한자어를 보기 에서 찾아 그 번호를 쓰세요.

보기
① 心術 ② 話術 ③ 木手 ④ 手術

(1) 나무로 집이나 가구 등을 만드는 일을 하는 사람 → (   )

(2) 말을 잘하는 재주나 능력 → (   )

3주 누구나 100점 TEST

1 다음 한자의 알맞은 뜻과 음(소리)을 골라 선으로 이으세요.

(1) 體 •	• 재주 •	• 체
(2) 科 •	• 몸 •	• 과
(3) 術 •	• 과목 •	• 술

2 한자 카드에 쓰인 내용이 맞는 것을 찾아 그 번호를 쓰세요. (　　　　)

①

老
늙을 로

②
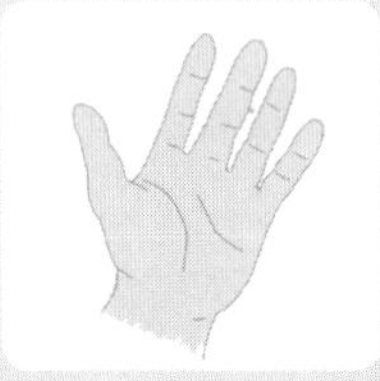
手
손 수

3 다음 설명 에 해당하는 낱말을 찾아 그 번호를 쓰세요. (　　　　)

설명
사람의 몸

① 신체　② 급소　③ 노약
④ 내과　⑤ 심신

4 다음 그림이 나타내는 한자를 선으로 이으세요.

 •

• 內

• 外

5 다음 그림을 보고 □ 안에 공통으로 들어갈 알맞은 한자를 보기 에서 찾아 그 번호를 쓰세요.

보기
① 校　② 急　③ 高

• 누나가 어제 □소를 다쳐서 응□실에 갔습니다.

→ (　　　　　　)

6 다음 밑줄 친 한자의 음(소리)을 쓰세요.

> 내일 학교에서 새 학기에 사용할
> (1) 교<u>科</u>서를 나누어 줄 것이라는
> (2) <u>所</u>문을 들었습니다.

(1) → (　　　　　　)

(2) → (　　　　　　)

7 다음 낱말과 뜻이 반대되는 한자를 보기에서 찾아 그 번호를 쓰세요.

보기
① 弱　② 急　③ 内

(1) 밖 ↔ (　　　　　　)

(2) 강하다 ↔ (　　　　　　)

8 다음 밑줄 친 낱말에 해당하는 한자를 보기에서 찾아 그 번호를 쓰세요.

보기
① 急　② 手　③ 所

● 음식을 먹기 전에는 항상 <u>손</u>을 깨끗이 씻어야 합니다.

→ (　　　　　　)

9 다음 밑줄 친 낱말에 해당하는 한자어를 보기에서 찾아 그 번호를 쓰세요.

보기
① 所用　② 心弱　③ 身長

● 친구들과 누구의 <u>신장</u>이 더 큰지 재어 보았습니다.

→ (　　　　　　)

10 다음 십자말풀이를 보고 □ 안에 들어갈 알맞은 한자를 보기에서 찾아 그 번호를 쓰세요. (　　　　)

보기
① 身　② 體　③ 急

하	□
	중

→ 하□: 물체나 신체의 아랫부분

↓ □중: 몸의 무게

📖 국어+한문 다음 만화를 읽고, 성어의 뜻을 생각해 보세요.

殺身成仁
죽일 **살**　몸 **신**　이룰 **성**　어질 **인**

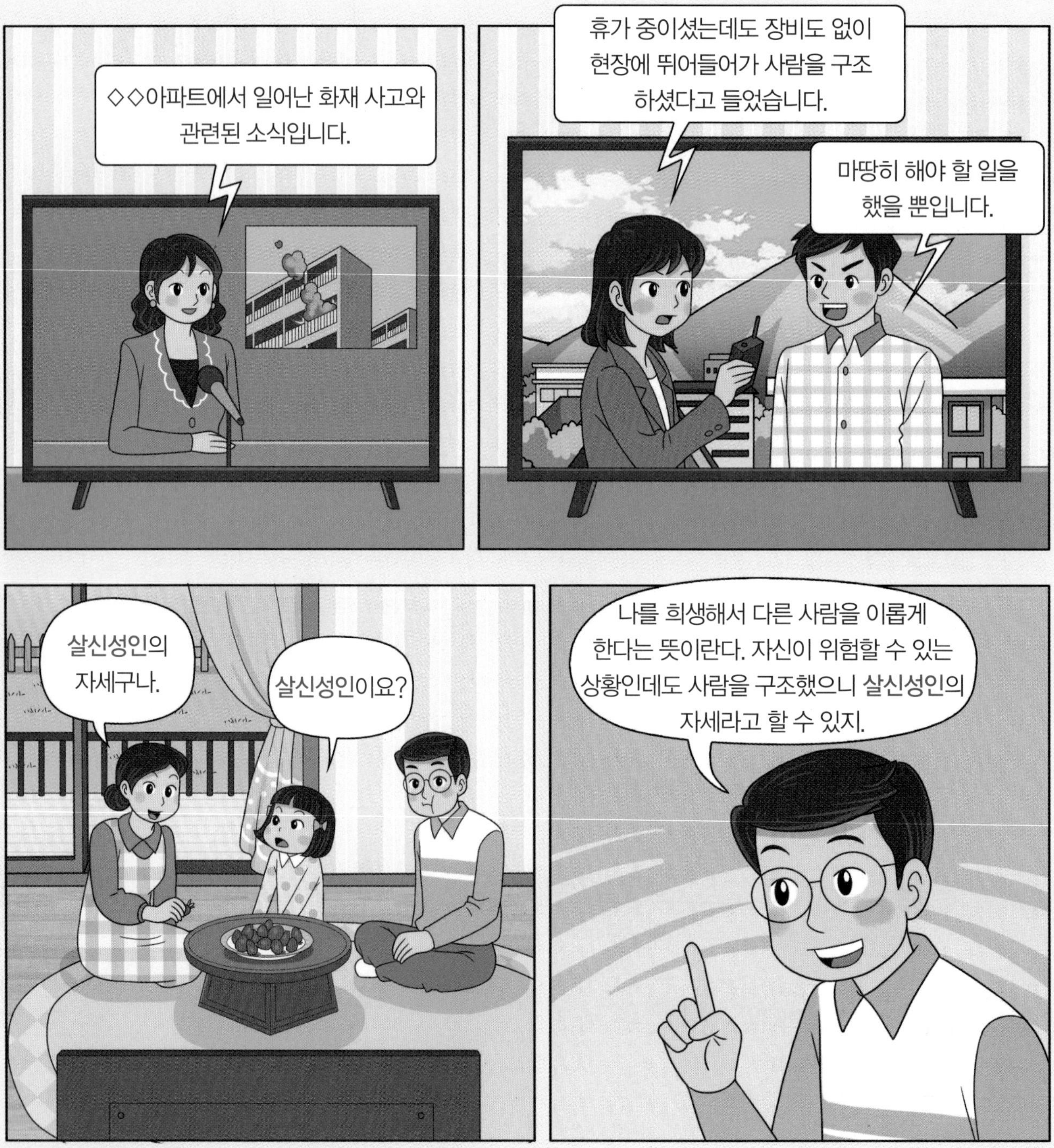

3주

◆ **성어의 뜻을 살펴보며 빈칸에 알맞은 한자를 채우세요.**

살	신	성	인
殺		成	仁

→ '자신의 몸을 죽여 인을 이룬다.'라는 뜻으로, 자신의 몸을 희생하여 옳은 일을 행하는 것을 이르는 말

📖 코딩+수학+한문 한자어가 입력된 칠교 조각으로 명령어 에 따라 놀이해 봅시다.

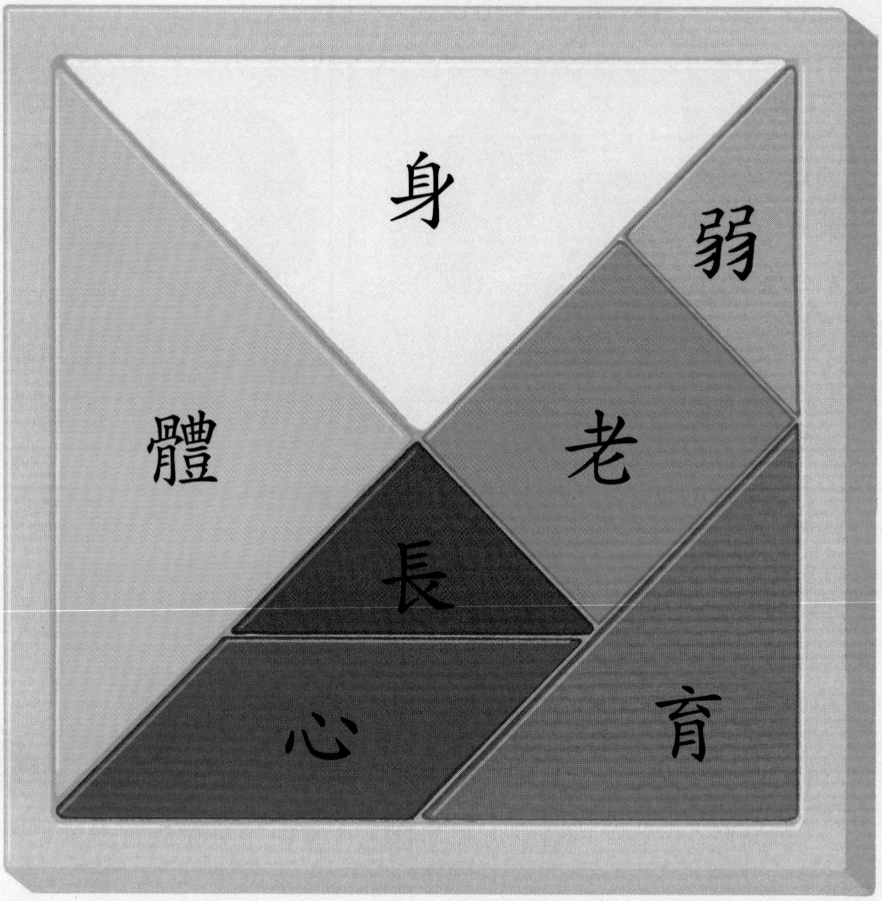

명령어

🔴 : 오른쪽으로 45° 회전
★ : 오른쪽으로 90° 회전

🔷 : 왼쪽으로 45° 회전
◉ : 왼쪽으로 90° 회전

♥ : 좌우로 뒤집기
♣ : 상하로 뒤집기

규칙

• 칠교 조각을 선택한 후 조각의 방향은 명령어에 따라 움직입니다.
• 칠교 조각을 놓는 순서는 자유롭게 바꿀 수 있습니다.

1 다음 뜻과 일치하는 단어를 칠교 조각에서 골라 한자어로 쓰고, **명령어** 에 따라 해당 한자어 조각을 놓았을 때 완성할 수 있는 칠교 그림에 ✔표 하세요.

운동 등으로 몸을 튼튼하게 만드는 것

[ ][ ] → ●   [ ][ ] → ♣ → ♥

2 주어진 **순서도** 에 따라 해당 한자어의 칠교 조각과 그림의 숫자가 일치하도록 빈칸에 알맞은 **명령어** 를 써넣고, 완성된 한자어의 음(소리)을 쓰세요.

순서도

시작 → 첫 번째 글자 찾기 → 뜻이 '몸'인 칠교 조각 고르기 → 명령어 ◆ 입력하기 → ③번 → 두 번째 글자 찾기 → '짧다'와 반대되는 의미의 칠교 조각 고르기 → 명령어 ♣ 입력하기 → 명령어 [ ] 입력하기 → ⑥번 → **완성**

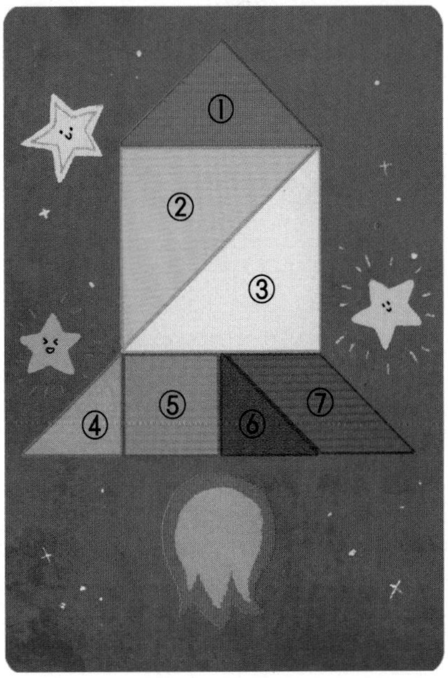

→ (　　　　　　)

3주

생각을 키워요 ③

보건+수학+한문 다음 내용을 보고 물음에 답하세요.

오늘은 동물 친구들이 신체(身體)검사를 하는 날입니다.
신체검사는 몸의 전반적인 상태를 관찰하고 평가하는 것입니다.
검사를 받기 전에는 몸을 청결히 하고, 필요한 경우에는
일정 시간 음식을 먹지 않는 등 주의 사항을 잘 지켜야 합니다.

1 다음 중 身長을 재고 있는 친구는 누구인지 V표 하세요.

☐ 　　☐ 　　☐ 

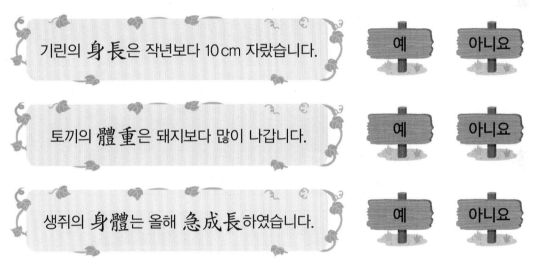

2 주어진 설명이 맞으면 '예', 틀리면 '아니요'에 ○표 하세요.

기린의 身長은 작년보다 10 cm 자랐습니다.	예	아니요
토끼의 體重은 돼지보다 많이 나갑니다.	예	아니요
생쥐의 身體는 올해 急成長하였습니다.	예	아니요

3 고양이가 시력 검사를 하기 위해 가리고 있는 신체 부위를 보기에서 찾아 그 번호를 쓰세요. (　　　　)

보기

① 口　　② 目　　③ 手　　④ 足

3주

4주 4주에는 무엇을 공부할까? ①

어르신, 혹시 이 글 좀 읽어 주실 수 있나요?

어릴 적부터 신동이었던 천재 임금으로, 백성들이 각자 잘 살도록 생계를 보살피고, 부하들 또한 어질게 다스리니, 가히 성군이로다!

힌트: 10월 9일

어디 보자.

천재 임금님이라······. 10월 9일은 한글날인데?

아하, 그렇다면 정답은 세종대왕님이야!

허허, 내가 너희들을 다시 돌려보내 주겠다. 단, 궁궐 안에서는 아무 데나 함부로 다니지 말거라!

감사합니다!

으아아악

휴······. 돌아왔다!

그런데 우리는 어디로 나가야 하지?

4주

4주 4주에는 무엇을 공부할까? ②

✪ 이번 주에 배울 한자가 미로 속에 있어요. 보기 를 참고해서 제시된 한자의 뜻과 음(소리)이 바르게 쓰인 길을 따라가 탐정들이 집에 갈 수 있게 출구를 찾아 주세요.

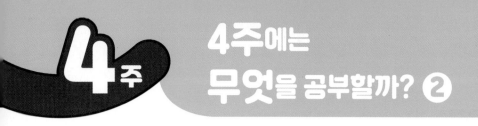

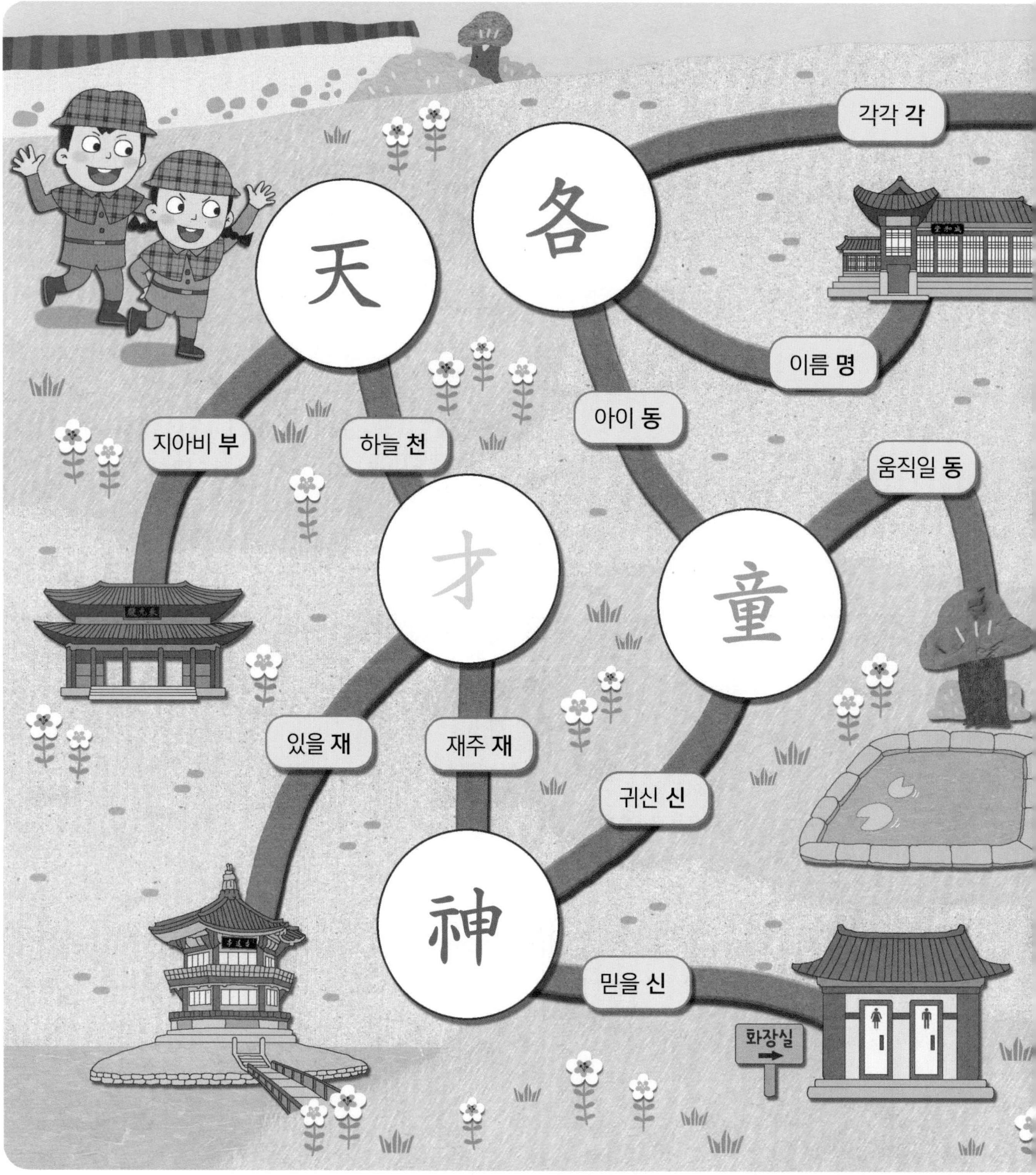

◐ 정답 17쪽

보기

天 하늘 **천** → 才 재주 **재** → 神 귀신 **신** → 童 아이 **동** → 各 각각 **각**
→ 自 스스로 **자** → 部 떼 **부** → 下 아래 **하** → 生 날 **생** → 計 셀 **계**

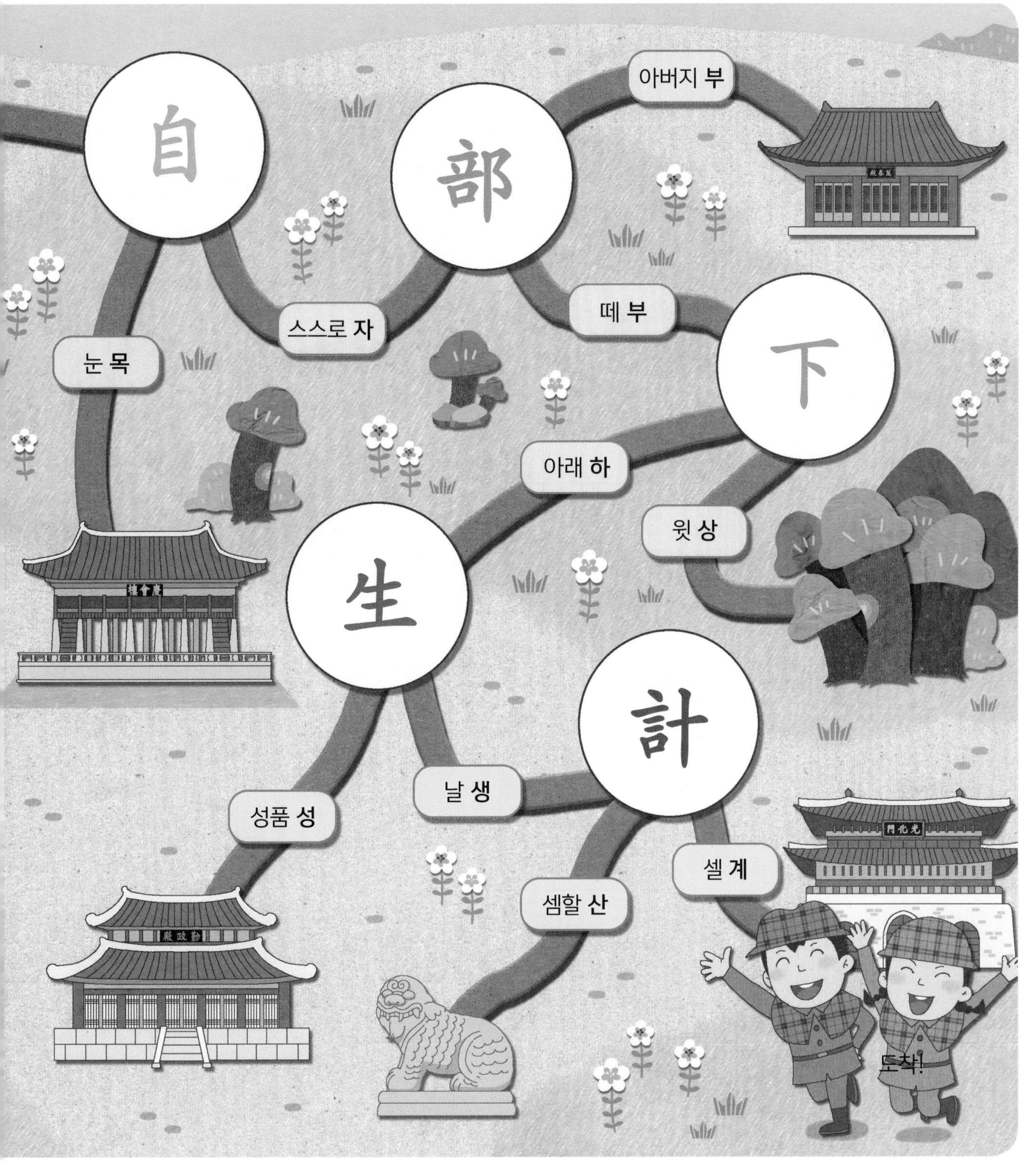

4주

1일

사람 한자

天 才

하늘 천　　재주 재

다음 글을 읽고, 오늘 배울 한자를 확인해 보세요.

드높은 하늘[天] 아래 주변을 둘러보세요.
노래를 잘 부르는 철수, 빠르게 달리는 영희,
요리를 잘하는 달이처럼
우리는 모두 타고난 재(才)능이 있어요.
이렇게 하늘[天]에서 내려 준 재(才)능을
잘 가꾸어서 온 세상에 마음껏 펼쳐 봅시다.

오늘 배울 한자

天 才

하늘 천　재주 재

연하게 쓰인 한자를 따라 써 본 후, 빈칸에 바르게 쓰세요.

하늘 천

사람 머리 위의 높고 넓은 곳을 가리키는 글자로, **하늘**을 뜻해요.

QR을 보며 따라 써요!

天	天	天	天	天	天
하늘 천	하늘 천	하늘 천	하늘 천	하늘 천	하늘 천

재주 재

싹이 땅에서 올라오는 모습을 나타낸 글자로, **재능**이 있다는 것을 뜻해요.

QR을 보며 따라 써요!

才	才	才	才	才	才
재주 **재**	재주 **재**	재주 **재**	재주 **재**	재주 **재**	재주 **재**

1일
사람 한자

天 하늘 천 | 才 재주 재

한자어를 익혀요

와, 우리가 시험 보는 동안 눈이 내렸네!
천지(天地)가 다 눈이야. 날씨가 추워지니 갑자기 배가 고픈데.
그럼 우리 집에 갈래? 내가 맛있는 떡볶이 만들어 줄게.
어머, 너 떡볶이도 만들 줄 알아? 요리의 인재(人才)였구나!
자, 다 됐다. 양념은 모두 천연(天然) 재료만 사용했어.
대단한데! 너무 맛있다. 우리 얼른 먹고 같이 시험지 채점해 보자.
야호! 수학 100점이야. 아무래도 난 수학 천재(天才)인가 봐!
정말? 부럽다. 넌 진짜 재학(才學)을 다 갖추었구나.
잘못 채점함.
요리도 잘하고 공부도 잘하고 너같이 다재(多才)한 아이가 내 친구라니 자랑스러워!
뭘 이 정도쯤이야.
헤헤
그래서 말인데, 내일도 맛있는 떡볶이 부탁할게!
물론이지! 난 요리 천재니까, 으하하!

한자어 활용

'天(하늘 천)'과 '才(재주 재)'가 들어간 한자어를 알아봅시다.

天 하늘 천

才 재주 재

천지(天地)

天	地
하늘 천	땅 지

뜻 하늘과 땅. 온 세상

인재(人才)

人	才
사람 인	재주 재

뜻 재주가 놀라운 사람

천연(天然)

天	然
하늘 천	그럴 연

뜻 사람의 힘을 가하지 않은 그대로의 상태

재학(才學)

才	學
재주 재	배울 학

뜻 재주와 학문

천재(天才)

天	才
하늘 천	재주 재

뜻 선천적으로 타고난 남보다 뛰어난 재주

다재(多才)

多	才
많을 다	재주 재

뜻 재주가 많음.

4주

天 하늘 천 | 才 재주 재

기초 실력을 키워요

한자 확인

1 다음 한자의 뜻과 음(소리)으로 알맞은 것을 찾아 선으로 이으세요.

才 •	• 하늘 **천**
天 •	• 재주 **재**

어휘 확인

2 ( )에 알맞은 글자를 넣어 낱말을 만드세요.

하늘과 땅

( )지

재주가 놀라운 사람

인( )

어휘 확인

3 다음 문장에 들어갈 말로 어울리는 한자어를 찾아 ○표 하세요.

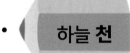

(天然 / 天地) 자원의 개발이 매우 시급한 상황입니다.

급수 유형

4 다음 한자의 뜻과 음(소리)을 쓰세요.

보기

術 → 재주 술

(1) 天 → (　　　　　　　)

(2) 才 → (　　　　　　　)

급수 유형

5 다음 밑줄 친 한자어의 독음을 쓰세요.

보기

手話 → 수화

(1) <u>天才</u>는 1 %의 재능과 99 %의 노력으로 이루어집니다. → (　　　　　　　)

(2) 신후는 여러 방면에서 뛰어난 <u>人才</u>입니다. → (　　　　　　　)

급수 유형

6 다음 뜻에 맞는 한자어를 보기 에서 찾아 그 번호를 쓰세요.

보기

① 天才　② 才學　③ 人才　④ 天然

(1) 재주와 학문 → (　　　　　　　)

(2) 사람의 힘을 가하지 않은 그대로의 상태 → (　　　　　　　)

2일

사람 한자

神 童

귀신 신　　아이 동

다음 글을 읽고, 오늘 배울 한자를 확인해 보세요.

어느 밤, 마을에 신(神)기한 일이 일어났어요.
갑자기 피리 소리가 울리더니, 잠을 자던 아이[童]들이
귀신[神]에 홀린 듯 피리 부는 사나이를 따라가고 있었어요.
그중 마을의 신동(神童)이 소리쳤어요.
"저 사람을 절대 따라가면 안 돼!"
그제야 정신(神)을 차린 아이[童]들은
황급히 집으로 돌아갔답니다.

오늘 배울 한자

神 童

귀신 신　아이 동

연하게 쓰인 한자를 따라 써 본 후, 빈칸에 바르게 쓰세요.

귀신 신

해에 번개가 치는 모습에서 '번개 신'을 의미하다가 나중에 **귀신**, **정신**이라는 뜻이 되었어요.

QR을 보며 따라 써요!

神	神	神	神	神	神
귀신 신	귀신 신	귀신 신	귀신 신	귀신 신	귀신 신

아이 동

마을 어귀에 서서 뛰노는 아이들에게서 비롯되어 **아이**를 뜻해요.

QR을 보며 따라 써요!

童	童	童	童	童	童
아이 동	아이 동	아이 동	아이 동	아이 동	아이 동

4주

神 귀신 신 | 童 아이 동

한자어를 익혀요

별이야, 너 그리스·로마 신화(神話) 읽어 봤어?
아니, 난 동화(童話) 읽는 것을 더 좋아해.
어떤 동화를 재미있게 읽었어?
나는 『피리 부는 사나이』가 제일 재미있더라! 넌 어떤 이야기가 좋았는데?
그거야 당연히 미의 여신(女神) 비너스 이야기지. 나중에 크면 비너스랑 결혼할 거야.
어휴, 너는 신화랑 현실도 구분 못하니? 쯧쯧.
너는 어쩜 나의 순수한 동심(童心)을 이렇게 파괴할 수가 있냐!
그건 동심이 아니라 욕심이거든? 나처럼 여신같이 생긴 여자친구나 생기길 바라든가.
티격태격
여신은 무슨, 식신(食神)이라면 모를까!
뭐라고? 너 이리 안 와?
자, 얼른 식신에게 식사를 대접해야지!
어휴, 누가 음식 먹기 신동(神童) 아니랄까 봐.
씩씩
헥헥

'神(귀신 신)'과 '童(아이 동)'이 들어간 한자어를 알아봅시다.

神 귀신 신

童 아이 동

신화(神話)

귀신 신	말씀 화
	話

뜻 예로부터 전해져 오는 신을 중심으로 한 이야기

동화(童話)

아이 동	말씀 화
	話

뜻 어린이에게 들려주기 위하여 지은 이야기

여신(女神)

'女'가 낱말의
맨 앞에 올 때는
'여'라고 읽어요!

여자 녀	귀신 신
女	

뜻 여성인 신

동심(童心)

아이 동	마음 심
	心

뜻 어린이와 같이 순진한 마음

식신(食神)

밥/먹을 식	귀신 신
食	

뜻 음식을 맡고 있다는 귀신

신동(神童)

귀신 신	아이 동
神	

뜻 재주와 슬기가 남달리 뛰어난 아이

4주

2일 사람 한자

神 귀신 신 | 童 아이 동 기초 실력을 키워요

한자 확인

1 다음 밑줄 친 뜻에 해당하는 한자를 찾아 V표 하세요.

어린이는 나라의 미래입니다.
어린이날

□ 童 □ 神

어휘 확인

2 그림 속 내용이 맞으면 '예', 틀리면 '아니요'에 ○표 하세요.

'神話'는 '예로부터 전해져 오는 신을 중심으로 한 이야기'를 뜻합니다.	예 / 아니요
'女神'은 '성인 여성'이라는 뜻입니다.	예 / 아니요

어휘 확인

3 다음 □에 공통으로 들어갈 한자를 찾아 V표 하세요.

□화책에는 □심이 가득 담겨 있습니다.

□ 心 □ 童

기초 집중 연습

급수 유형

4 다음 밑줄 친 한자어의 독음을 쓰세요.

보기

天才 → 천재

(1) 다현이는 한자의 神童입니다. → (　　　　　　　)

(2) 오랜만에 童心으로 돌아가 재미있게 놀았습니다. → (　　　　　　　)

급수 유형

5 다음 문장에 어울리는 한자어가 되도록 [　] 안에 알맞은 한자를 보기 에서 찾아 그 번호를 쓰세요.

보기

① 神　② 食　③ 心　④ 童

(1) 미의 女[　]은 비너스입니다. → (　　　　　　　)

(2) 나라마다 고유한 전래 [　]話가 있습니다. → (　　　　　　　)

급수 유형

6 다음 뜻에 맞는 한자어를 보기 에서 찾아 그 번호를 쓰세요.

보기

① 童話　② 童心　③ 神童　④ 食神

(1) 어린이에게 들려주기 위하여 지은 이야기 → (　　　　　　　)

(2) 재주와 슬기가 남달리 뛰어난 아이 → (　　　　　　　)

3일

사람 한자

各 自

각각 각　　스스로 자

다음 글을 읽고, 오늘 배울 한자를 확인해 보세요.

며칠 뒤 우리 학교에서 세계 문화 축제가 열려요.
세계 각(各)국의 다양한 의상과 음식들을
자(自)유롭게 체험할 수 있답니다.
각자(各自) 역할을 정하고 서로 힘을 합쳐서
준비하다 보면 자(自)신감과 자(自)부심도 생길 거예요.

오늘 배울 한자

各 自

각각 각　　스스로 자

연하게 쓰인 한자를 따라 써 본 후, 빈칸에 바르게 쓰세요.

공부한 날 月 日

각각 각

위에서 아래로 향하는 발과 집이 합쳐진 글자로, 저마다 자신의 집으로 들어간다는 데서 **각각**을 뜻해요.

QR을 보며 따라 써요!

各	各	各	各	各	各
각각 각	각각 각	각각 각	각각 각	각각 각	각각 각

스스로 자

사람의 코 모양을 본뜬 글자로, 자기를 말할 때 코를 가리키므로 **스스로**라는 뜻을 가지고 있어요.

QR을 보며 따라 써요!

自	自	自	自	自	自
스스로 자	스스로 자	스스로 자	스스로 자	스스로 자	스스로 자

4주

各 각각 각 | 自 스스로 자

한자어를 익혀요

'各(각각 각)'과 '自(스스로 자)'가 들어간 한자어를 알아봅시다.

各 각각 각

自 스스로 자

각국(各國)

各	國
각각 각	나라 국

뜻 각 나라

각자(各自)

各	自
각각 각	스스로 자

뜻 각각의 자기 자신

각색(各色)

各	色
각각 각	빛 색

뜻 갖가지의 빛깔. 온갖 종류

자연(自然)

自	然
스스로 자	그럴 연

뜻 저절로 그러한 상태

각계(各界)

各	界
각각 각	지경 계

뜻 사회의 각 분야

자신(自信)

自	信
스스로 자	믿을 신

뜻 스스로 굳게 믿음.

各 각각 각 | 自 스스로 자 기초 실력을 키워요

한자 확인

1 다음 한자 카드의 □ 안에 들어갈 한자나 한자의 음(소리)을 쓰세요.

□

각각 각

→ (   )

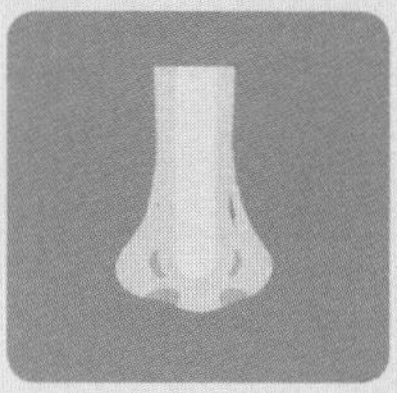

自

스스로 □

→ (   )

어휘 확인

2 다음 한자어의 뜻을 바르게 나타낸 것을 찾아 ∨표 하세요.

自然

□ 저절로 그러한 상태

□ 스스로 굳게 믿음.

어휘 확인

3 다음 문장에 들어갈 말로 어울리는 한자어를 찾아 ○표 하세요.

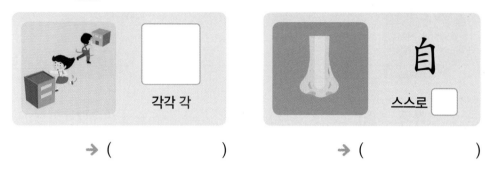

세계 (各國 / 各色)의 대표들이 회담을 가졌습니다.

기초 집중 연습

급수 유형

4 다음 한자의 뜻과 음(소리)을 쓰세요.

보기

童 → 아이 동

(1) 自 → (   )

(2) 各 → (   )

급수 유형

5 다음 밑줄 친 한자어의 독음을 쓰세요.

보기

神童 → 신동

(1) 매우 떨렸지만, 自信 있게 발표를 마쳤습니다. → (   )

(2) 세면도구는 各自 준비해야 합니다. → (   )

급수 유형

6 다음 뜻에 맞는 한자어를 보기 에서 찾아 그 번호를 쓰세요.

보기

① 自信　② 各自　③ 各色　④ 各界

(1) 갖가지의 빛깔. 온갖 종류 → (   )

(2) 사회의 각 분야 → (   )

4일

사람 한자

部 下

떼 부　　　아래 하

다음 글을 읽고, 오늘 배울 한자를 확인해 보세요.

하(下)교 후에 엄마와 나들이를 다녀왔습니다.
거리에는 많은 사람이 삼삼오오 모여[部] 있었어요.
예쁜 간판 아래[下]에 서서 기념사진도 찍고
집에 오는 길에는 아빠 회사 부하(部下) 직원으로부터
아빠의 부(部)장 승진 소식을 전해 듣고
축하 케이크도 샀답니다. 정말 신나는 하루였어요.

오늘 배울 한자

部 下

떼 부　　아래 하

연하게 쓰인 한자를 따라 써 본 후, 빈칸에 바르게 쓰세요.

떼 부

고을 사람들이 서서 모여 있다는 데서, **모여 있는 무리**를 뜻해요.

QR을 보며 따라 써요!

部	部	部	部	部	部
떼 부	떼 부	떼 부	떼 부	떼 부	떼 부

아래 하

기준이 되는 선보다 아래에 있음을 나타내는 글자로, **아래**를 뜻해요.

QR을 보며 따라 써요!

下	下	下	下	下	下
아래 하	아래 하	아래 하	아래 하	아래 하	아래 하

4주

部 떼 부 | 下 아래 하

한자어를 익혀요

별이야, 오늘은 엄마랑 어디 간다고 하지 않았어?
맞아, 엄마께서 하교(下校) 시간에 교문 앞에서 기다리고 계신대.
엄마, 오랜만에 외부(外部)로 나오니까 너무 설레요.
엄마도 그렇단다.
이번 정류장은 ....
이번에 내리는 거죠?
그래. 버스가 완전히 멈춘 후에 내리자꾸나.
무슨 축하할 일이 생긴 거예요?
응, 방금 아빠 회사 부하(部下) 직원의 연락을 받았는데 아빠께서 부장(部長)으로 승진하셨대.
케이크 종류가 너무 많네. 큰 케이크 한 개를 사는 것이 좋을까?
전 부분(部分)으로 된 케이크를 다양하게 먹어 보고 싶어요!
꺄아
별이야, 어디로 가니? 집에 가려면 지하도(地下道)를 건너야지.
앗, 빨리 케이크 먹을 생각에 정신이 팔려서 그만 …….

'部(떼 부)'와 '下(아래 하)'가 들어간 한자어를 알아봅시다.

部 떼 부

下 아래 하

외부(外部)

外	
바깥 외	떼 부

뜻 바깥 부분. 조직이나 단체의 밖

하교(下校)

	校
아래 하	학교 교

뜻 공부를 끝내고 학교에서 집으로 돌아옴.

부장(部長)

部는 '거느리다' 라는 뜻도 있어요.

	長
떼 부	긴 장

뜻 한 부를 거느려 다스리는 직위

부하(部下)

	下
떼 부	아래 하

뜻 직책상 자기보다 더 낮은 자리에 있는 사람

부분(部分)

	分
떼 부	나눌 분

뜻 전체를 몇으로 나눈 것의 하나하나

지하도(地下道)

地		道
땅 지	아래 하	길 도

뜻 땅속으로 만든 길

部 떼 부 | 下 아래 하

기초 실력을 키워요

한자 확인

1 다음 한자와 뜻이 일치하는 낱말을 찾아 선으로 이으세요.

部 •

• 떼(무리)

• 각각

어휘 확인

2 다음 밑줄 친 한자어의 음(소리)으로 알맞은 것을 찾아 ∨표 하세요.

장난감의 部分이(가) 부러졌습니다.

☐ 부분　☐ 전부

어휘 확인

3 ◌에 알맞은 글자를 넣어 낱말을 만드세요.

바깥 부분. 조직이나 단체의 밖

외◌

공부를 끝내고 학교에서 집으로 돌아옴.

◌교

기초 집중 연습

급수 유형

4 다음 한자의 뜻과 음(소리)을 쓰세요.

보기

各 → 각각 각

(1) 部 → (   )

(2) 下 → (   )

급수 유형

5 다음 문장에 어울리는 한자어가 되도록 [ ] 안에 알맞은 한자를 보기 에서 찾아 그 번호를 쓰세요.

보기

① 部 ② 下 ③ 長 ④ 分

(1) 길 건너에 있는 학교로 가려면 地[ ]道를 건너야 합니다. → (   )

(2) 外[ ] 공기를 마시기 위해 창문을 열었습니다. → (   )

급수 유형

6 다음 뜻에 맞는 한자어를 보기 에서 찾아 그 번호를 쓰세요.

보기

① 下校 ② 外部 ③ 部下 ④ 部長

(1) 한 부를 거느려 다스리는 직위 → (   )

(2) 직책상 자기보다 더 낮은 자리에 있는 사람 → (   )

5일

사람 한자

生 計

날 생　　셀 계

다음 글을 읽고, 오늘 배울 한자를 확인해 보세요.

나는 생(生)활하는 장소 중 마트를 제일 좋아해요.
마트에는 생(生)필품뿐만 아니라 갖고 싶은 장난감이 많이 있거든요.
차곡차곡 모은 용돈을 잘 세어서[計] 계(計)산까지 마치면
그렇게 뿌듯할 수가 없답니다.

연하게 쓰인 한자를 따라 써 본 후, 빈칸에 바르게 쓰세요.

날 생

땅 위에 새싹이 돋아나 자라는 모습을 본뜬 글자로, 나다, 살다라는 뜻이에요.

QR을 보며 따라 써요!

生	生	生	生	生	生
날 생	날 생	날 생	날 생	날 생	날 생

셀 계

'말로 열을 세다.'라는 의미로, 세다를 뜻해요.

QR을 보며 따라 써요!

計	計	計	計	計	計
셀 계	셀 계	셀 계	셀 계	셀 계	셀 계

4주

生 날 생 | 計 셀 계

한자어를 익혀요

이런, 이번 달에도 생활(生活)비를 너무 많이 썼네.
학교 다녀왔습니다!
엄마, 뭘 계산(計算)하고 계세요?
가계(家計)부를 작성하고 있는데, 아무래도 달이 용돈을 더 줄여야겠다.
네? 무슨 말씀이세요! 지금도 용돈이 부족하단 말이에요!
다 같이 아껴 써야 공생(共生) 할 수 있어.
그럼 달래는요! 날이 갈수록 많이 먹는걸요.
끙~
달래야 생명(生命)을 유지하려고 어쩔 수 없이 먹는 거지!
끄덕
끄덕
우리 가족의 생계(生計)를 위해 조금씩 양보하자꾸나. 엄마 장 보고 올 동안 달래 간식 꼭 챙겨 주렴!
알겠어요, 엄마.
축
욱

'生(날 생)'과 '計(셀 계)'가 들어간 한자어를 알아봅시다.

生 날 생

생활(生活)

	活
날 생	살 활

뜻 살아서 활동함.

공생(共生)

共	
한가지 공	날 생

뜻 서로 도우며 함께 삶.

생명(生命)

	命
날 생	목숨 명

뜻 목숨. 생물로서 살아 있게 하는 힘

計 셀 계

계산(計算)

	算
셀 계	셈 산

뜻 수량을 헤아림.

가계(家計)

家	
집 가	셀 계

뜻 집안 살림의 수입과 지출의 상태

생계(生計)

生	
날 생	셀 계

뜻 살림을 살아 나갈 방도

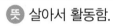

生 날 생 | 計 셀 계

기초 실력을 키워요

한자 확인

1 다음 그림이 나타내는 한자와 음(소리)을 찾아 선으로 이으세요.

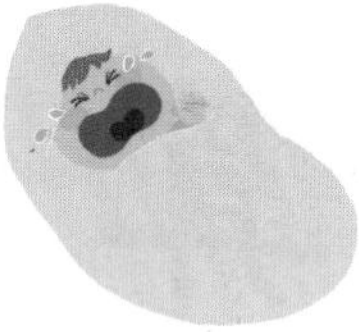

그림	한자	음
(그림 1) •	• 生 •	• 생
(그림 2) •	• 計 •	• 계

어휘 확인

2 다음 문장에 들어갈 말로 어울리는 한자어를 찾아 ○표 하세요.

가게에서 (計算 / 生計)하기 위해 줄을 섭니다.

어휘 확인

3 빈칸에 공통으로 들어갈 한자를 보기 에서 찾아 그 번호를 쓰세요. (　　　　　)

□	活
命	

보기: ① 共　② 生　③ 家

→ 살아서 활동함.
↓ 목숨. 생물로서 살아 있게 하는 힘

급수 유형

4 다음 밑줄 친 한자어의 독음을 쓰세요.

보기

部下 → 부하

(1) 새봄을 맞은 앞산에는 온갖 生命으로 가득 차 있습니다. → (   )

(2) 어렸을 적에는 家計가 넉넉지 못하여 힘들었습니다. → (   )

급수 유형

5 다음 문장에 어울리는 한자어가 되도록 [   ] 안에 알맞은 한자를 보기 에서 찾아 그 번호를 쓰세요.

보기

① 命   ② 生   ③ 家   ④ 計

(1) 오늘 하루 동안 공부한 시간을 [ ]算해 봅시다. → (   )

(2) 내일부터는 학교 [ ]活을 잘하기로 다짐했습니다. → (   )

급수 유형

6 다음 뜻에 맞는 한자어를 보기 에서 찾아 그 번호를 쓰세요.

보기

① 家計   ② 生計   ③ 共生   ④ 生活

(1) 서로 도우며 함께 삶. → (   )

(2) 살림을 살아 나갈 방도 → (   )

4주 누구나 100점 TEST

1 다음 한자의 알맞은 뜻과 음(소리)을 보기 에서 찾아 그 번호를 쓰세요.

보기
① 하늘 **천** ② 재주 **재** ③ 아이 **동**

( ) ( ) ( )

2 한자의 뜻과 음(소리)이 바르게 쓰인 카드를 모두 찾아 V표 하세요.

□ 神 믿을 신	□ 自 스스로 자
□ 計 셀 계	□ 各 이름 명

3 다음 뜻에 해당하는 한자어를 찾아 그 번호를 쓰세요. ( )

재주와 슬기가 남달리 뛰어난 아이

① 生命 ② 多才 ③ 神童
④ 才學 ⑤ 食神

4 다음 그림이 나타내는 한자어를 찾아 ○표 하세요.

部下 下校

5 다음 그림을 보고 □ 안에 들어갈 알맞은 한자를 보기 에서 찾아 그 번호를 쓰세요.

보기
① 部 ② 各 ③ 才

• 무지개는 빨강, 주황, 노랑, 초록, 파랑, 남색, 보라 □色이 한데 모여 만들어집니다.

→ ( )

6 다음 낱말과 뜻이 반대되는 한자를 보기에서 찾아 그 번호를 쓰세요.

보기
① 生 ② 童 ③ 外

(1) 성인 ↔ (　　　　)

(2) 죽다 ↔ (　　　　)

7 다음 밑줄 친 한자어의 음(소리)을 쓰세요.

● 단군 神話는 우리나라 최초의 국가를 세운 사람의 이야기입니다.

→ (　　　　)

8 다음 밑줄 친 음(소리)에 해당하는 한자를 보기에서 찾아 그 번호를 쓰세요.

보기
① 部 ② 計 ③ 生

● 악어와 악어새는 공생 관계입니다.

→ (　　　　)

9 다음 □ 안에 들어갈 알맞은 한자를 보기에서 찾아 그 번호를 쓰세요.

(　　　　)

보기
① 不 ② 外 ③ 部

외	□
	분

→ 외□: 바깥 부분. 조직이나 단체의 밖

↓ □분: 전체를 몇으로 나눈 것의 하나하나

10 한자판에서 설명에 해당하는 한자어를 찾아 ○표 하세요.

설명
수량을 헤아림.

天	部	才
神	自	計
生	算	各

4주

📖 국어+한문 다음 만화를 읽고, 성어의 뜻을 생각해 보세요.

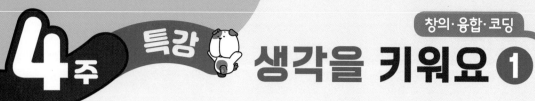

各 自 圖 生

각각 **각** 　 스스로 **자** 　 그림 **도** 　 날 **생**

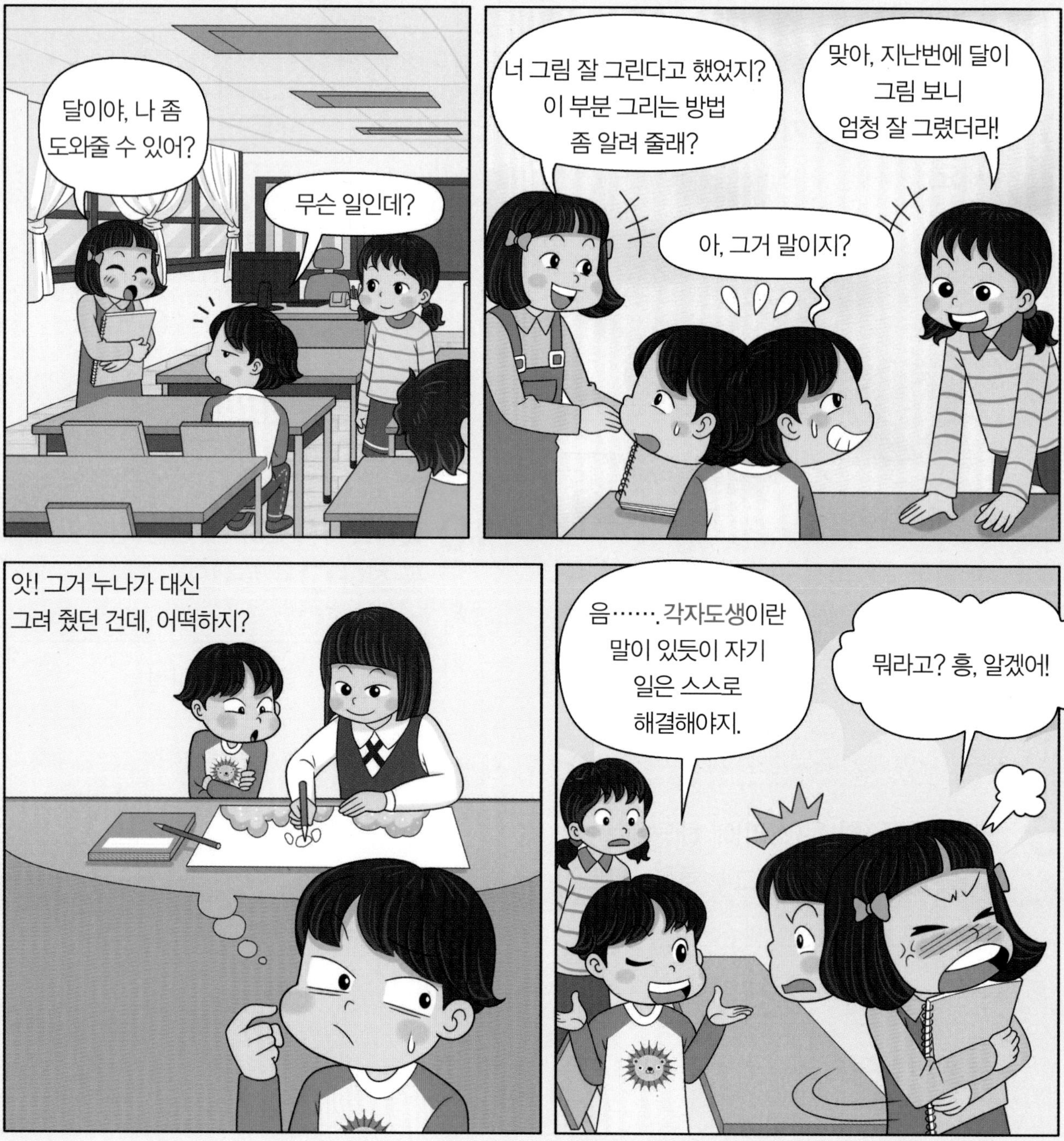

4주

◆ 성어의 뜻을 살펴보며 빈칸에 알맞은 한자를 채우세요.

→ '각자가 스스로 제 살길을 찾는다.'라는 뜻으로, 제각기 살아갈 방법을 꾀함을 이르는 말

생각을 키워요 ②

창의·융합·코딩

📖 코딩+한문 영희네 고양이가 갑자기 사라졌어요. 보기와 순서도를 참고하여 영희네 고양이를 찾아 주세요.

보기

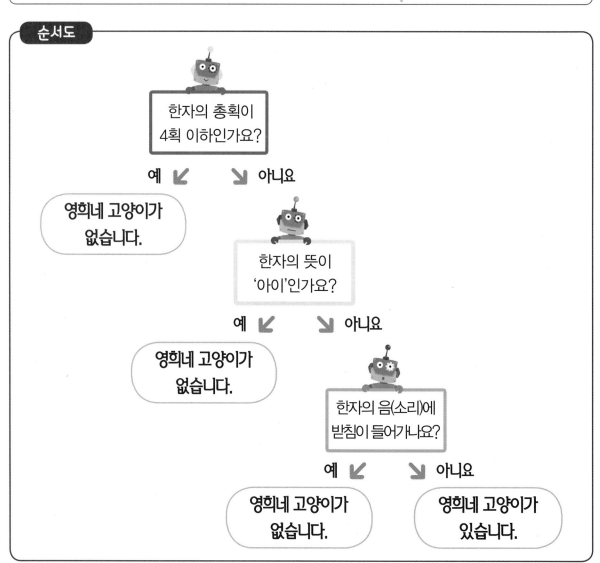

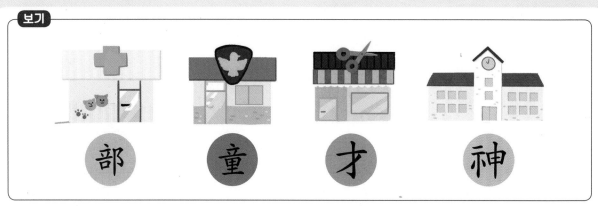

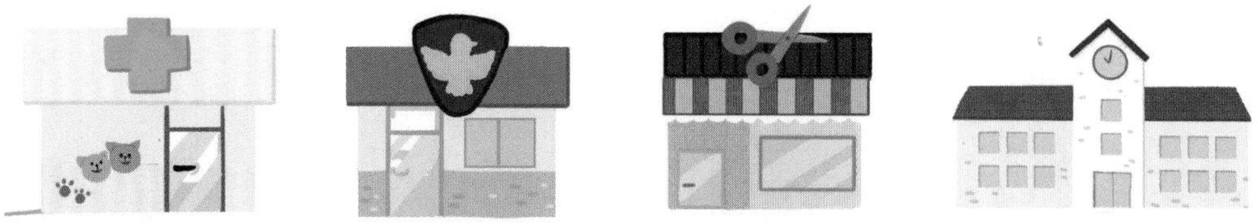

순서도

1 순서도 를 최종으로 통과한 한자가 있는 장소에서 영희네 고양이를 보호하고 있습니다. 영희네 고양이가 있는 곳은 어디인지 찾아 그 번호를 쓰세요.

( )

① 동물 병원 ② 경찰서 ③ 미용실 ④ 학교

2 다음 그림에서 영희네 고양이를 찾아 ∨표 하세요.

미술+한문 **다음 신문 기사를 읽고, 물음에 답하세요.**

1973. 4. 25.

특종! 하루 신문

㉠天才 화가 피카소, 영원히 잠들다

어릴 때부터 미술 ㉡神童이었던 스페인 화가 피카소가 오늘 세상을 떠났습니다.

피카소는 그림뿐만 아니라 조각, 도예, 판화 등 여러 분야에서 ㉢多才한 화가였습니다. 특히, 사물이나 인물의 ㉣部分을 여러 방향에서 보고 한 화면에 그린 입체주의 기법을 연구하여 현대 미술의 발전에도 많은 영향을 주었습니다.

●色의 물감으로 아름답게 표현된 피카소의 작품들은 ◇◇◇ 박물관에 전시될 예정입니다.

김천재 어린이 기자

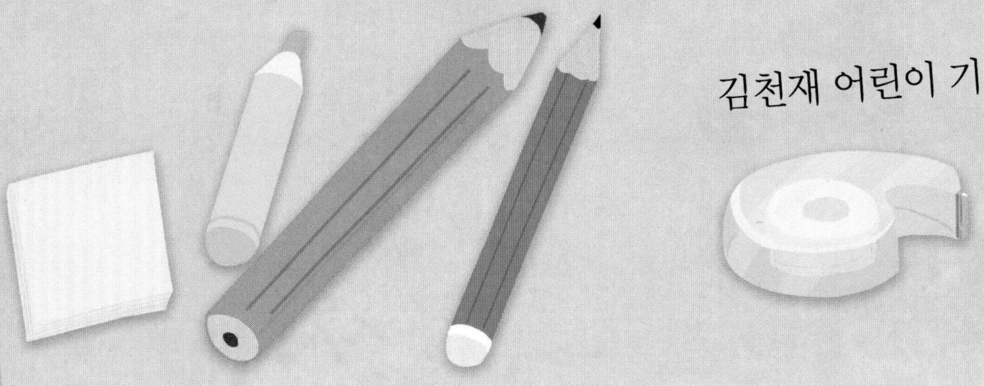

1 신문 기사에서 밑줄 친 한자어의 독음을 쓰세요.

㉠ (   ) ㉡ (   )

㉢ (   ) ㉣ (   )

2 신문 기사에 알맞은 사진이 필요합니다. 주어진 한자어와 어울리는 장면에 ∨표 하세요.

神童

☐ 

☐ 

多才

☐ 

☐ 

3 실수로 신문에 물감을 흘렸습니다. 얼룩으로 지워진 부분에 들어갈 한자를 보기에서 찾아 그 번호를 쓰세요. (   )

보기

① 各 ② 自 ③ 外 ④ 計

6급 II 급수 시험 맛보기 1회

[문제 1~8] 다음 밑줄 친 漢字語한자어의 讀音(독음: 읽는 소리)을 쓰세요.

보기

漢字 → 한자

1 새 <u>時代</u>에 발맞춰 발전해야 합니다.
( )

2 이 방법은 이제 아무 <u>所用</u> 없습니다.
( )

3 계단을 오르내리며 <u>下體</u>를 단련합니다.
( )

4 겨울의 <u>雪山</u>은 풍경이 매우 아름답습니다.
( )

5 아버지는 <u>地方</u> 출장을 가셨습니다.
( )

6 서당 개 삼 년이면 <u>風月</u>을 읊습니다.
( )

7 <u>外部</u>에서는 안쪽이 잘 보이지 않습니다.
( )

8 자유의 <u>女神</u>상은 뉴욕을 대표합니다.
( )

[문제 9~16] 다음 漢字한자의 訓(훈: 뜻)과 音(음: 소리)을 쓰세요.

보기

字 → 글자 자

9 圖 ( )

10 清 ( )

11 今 ( )

12 昨 ( )

13 身 ( )

14 弱 ( )

15 各 ( )

16 天 ( )

[문제 17] 다음 중 뜻이 서로 반대(상대)되는 漢字한자끼리 연결되지 않은 것을 고르세요.

17 ① 老 ↔ 少　② 年 ↔ 代
③ 上 ↔ 下　④ 日 ↔ 月

(　　　　　)

[문제 18] 다음 문장에 어울리는 漢字語한자어가 되도록 (　) 안에 알맞은 한자를 보기에서 찾아 그 번호를 쓰세요.

보기
① 方　② 時　③ 内　④ 術

18 이번 手(　)도 무리 없이 안전하게 진행되었습니다.

(　　　　　)

[문제 19] 다음 뜻에 맞는 漢字語한자어를 보기에서 찾아 그 번호를 쓰세요.

보기
① 風物 ② 明堂 ③ 家計 ④ 空白

19 어떤 일에 썩 좋은 자리

(　　　　　)

[문제 20~23] 다음 밑줄 친 漢字語한자어를 漢字한자로 쓰세요.

20 동생은 저보다 두 학년 아래입니다.

(　　　　　)

21 날이 너무 더워서 모두 실외로 나갔습니다.

(　　　　　)

22 이 조각가는 주로 여인을 주제로 다루었습니다.

(　　　　　)

23 벌써 방학이 끝나서 학교에 가야 합니다.

(　　　　　)

[문제 24~25] 다음 漢字한자의 짙게 표시한 획은 몇 번째 쓰는 획인지 보기에서 찾아 그 번호를 쓰세요.

보기
① 첫 번째　② 두 번째
③ 세 번째　④ 네 번째

24

(　　　　　)

25

(　　　　　)

6급 II 급수 시험 맛보기 2회

[문제 1~8] 다음 밑줄 친 漢字語한자어의 讀音(독음: 읽는 소리)을 쓰세요.

보기

漢字 → 한자

1 教科書는 소중히 다뤄야 합니다.
( )

2 나는 동생에게 童話를 읽어 주었습니다.
( )

3 올해 나는 초등학교 4學年이 되었습니다.
( )

4 장영실은 과거에 해시계를 發明했습니다.
( )

5 그는 每事에 긍정적입니다.
( )

6 木手는 나무로 의자와 식탁을 만들었습니다.
( )

7 매우 어두워서 形體가 잘 보이지 않습니다.
( )

8 下車할 때는 좌우를 잘 살펴야 합니다.
( )

[문제 9~16] 다음 漢字한자의 訓(훈: 뜻)과 音(음: 소리)을 쓰세요.

보기

字 → 글자 자

9 光 ( )

10 球 ( )

11 年 ( )

12 時 ( )

13 急 ( )

14 術 ( )

15 才 ( )

16 自 ( )

[문제 17] 다음 중 뜻이 서로 반대(상대)되는 漢字한자끼리 연결되지 않은 것을 고르세요.

17 ① 昨 ↔ 今　② 南 ↔ 北
③ 外 ↔ 內　④ 才 ↔ 童

(　　　　)

[문제 18] 다음 문장에 어울리는 漢字語한자어가 되도록 (　) 안에 알맞은 한자를 보기에서 찾아 그 번호를 쓰세요.

보기

① 清　② 雪　③ 午　④ 弱

18 매일 (　)前 9시까지 학교에 갑니다.

(　　　　)

[문제 19] 다음 뜻에 맞는 漢字語한자어를 보기에서 찾아 그 번호를 쓰세요.

보기

① 部長　② 急所　③ 同時　④ 今日

19 조금만 다쳐도 생명이 위험할 수 있는 몸의 중요한 부분

(　　　　)

[문제 20~23] 다음 밑줄 친 漢字語한자어를 漢字한자로 쓰세요.

20 우리나라에는 생년을 알 수 없는 위인들이 많습니다.

(　　　　)

21 친구가 외국으로 이민을 가게 되어 섭섭했습니다.

(　　　　)

22 교실에 들어가면 수업 준비를 해야 합니다.

(　　　　)

23 삼촌은 장래가 유망한 청년입니다.

(　　　　)

[문제 24~25] 다음 漢字한자의 짙게 표시한 획은 몇 번째 쓰는 획인지 보기에서 찾아 그 번호를 쓰세요.

보기

① 첫 번째　② 두 번째
③ 세 번째　④ 네 번째

24

(　　　　)

25

(　　　　)

학습 내용 찾아보기

한자

ㄱ

各(각각 각) 152
計(셀 계) 164
科(과목 과) 116
光(빛 광) 26
球(공 구) 32
今(이제 금) 56
急(급할 급) 104

ㄴ

內(안 내) 116
年(해 년) 74

ㄷ

代(대신할 대) 80
圖(그림 도) 38
童(아이 동) 146

ㄹ

老(늙을 로) 110

ㅁ

每(매양 매) 68
明(밝을 명) 26

ㅂ

方(모 방) 56
白(흰 백) 14
部(떼 부) 158

ㅅ

生(날 생) 164
雪(눈 설) 14
所(바 소) 104
手(손 수) 122
術(재주 술) 122
時(때 시) 80
神(귀신 신) 146
身(몸 신) 98

ㅇ

弱(약할 약) 110
午(낮 오) 62
日(날 일) 68

ㅈ

自(스스로 자) 152
昨(어제 작) 74
才(재주 재) 140
前(앞 전) 62
地(땅 지) 32

ㅊ

天(하늘 천) 140
清(맑을 청) 20
體(몸 체) 98

ㅍ

風(바람 풍) 20

ㅎ

下(아래 하) 158
形(모양 형) 38

한자어

ㄱ

家計(가계) 167
各界(각계) 155
各國(각국) 155
各色(각색) 155
各自(각자) 155
計算(계산) 167
空白(공백) 17
共生(공생) 167
科目(과목) 119
光明(광명) 29
敎科書(교과서) 119
今名(금명) 59
今方(금방) 59
今日(금일) 59
急成長(급성장) 107
急所(급소) 107

ㄴ

內科(내과) 119
內心(내심) 119
內外(내외) 119
老弱(노약) 113
老人(노인) 113

ㄷ

多才(다재) 143
大雪(대설) 17
大地(대지) 35
代表(대표) 83
圖形(도형) 41
同時(동시) 83
童心(동심) 149
東風(동풍) 23
童話(동화) 149

ㅁ

每事(매사) 71
每月(매월) 71
每日(매일) 71
明堂(명당) 29
木工所(목공소) 107
木手(목수) 125

ㅂ

發明(발명) 29
方面(방면) 59
白色(백색) 17
白雪(백설) 17
白紙(백지) 17
部分(부분) 161
部長(부장) 161
部下(부하) 161
分明(분명) 29

ㅅ

四方(사방) 59
事前(사전) 65
生計(생계) 167
生年(생년) 77
生命(생명) 167
生活(생활) 167
雪山(설산) 17
所聞(소문) 107
所用(소용) 107
手動(수동) 125
手術(수술) 125
手話(수화) 125
時間(시간) 83
時計(시계) 83
時代(시대) 83
食神(식신) 149
神童(신동) 149
身長(신장) 101
身體(신체) 101
神話(신화) 149
室內(실내) 119
心術(심술) 125
心身(심신) 101
心弱(심약) 113

ㅇ

弱小(약소) 113
弱體(약체) 113
女神(여신) 149
年老(연로) 113
午前(오전) 65
午後(오후) 65
外部(외부) 161
月光(월광) 29
意圖(의도) 41
人才(인재) 143
人形(인형) 41
日光(일광) 71
日記(일기) 71
日出(일출) 71

ㅈ

自信(자신) 155
自然(자연) 155
昨今(작금) 77
昨年(작년) 77
昨月(작월) 77
才學(재학) 143
電球(전구) 35
前年(전년) 65
前方(전방) 65
正午(정오) 65
足球(족구) 35
地球(지구) 35
地圖(지도) 41
地方(지방) 59
地表面(지표면) 35
地下道(지하도) 161

ㅊ

天然(천연) 143
天才(천재) 143
天地(천지) 143
青年(청년) 77
清明(청명) 23
清音(청음) 23
清風(청풍) 23
體育(체육) 101
體重(체중) 101

ㅌ

土地(토지) 35

ㅍ

風物(풍물) 23
風月(풍월) 23

ㅎ

下校(하교) 161
下體(하체) 101
學年(학년) 77
現代(현대) 83
形體(형체) 41
形便(형편) 41
火急(화급) 107
話術(화술) 125
後光(후광) 29

자연 한자

白

흰 백

자연 한자

雪

눈 설

자연 한자

清

맑을 청

자연 한자

風

바람 풍

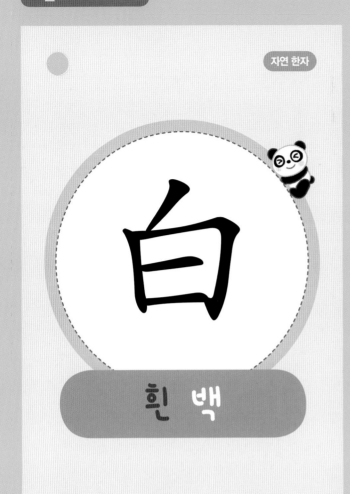

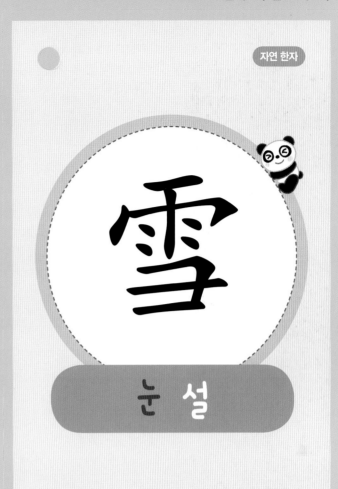

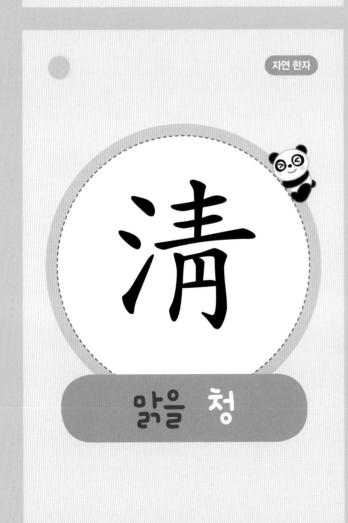

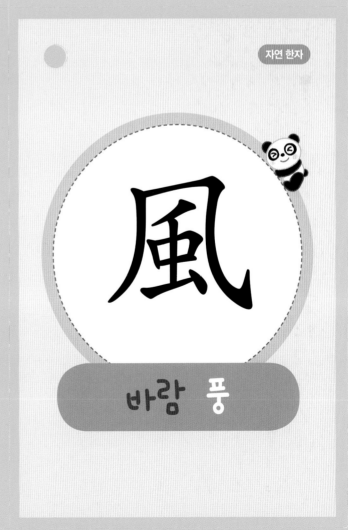

한자와 뜻·음(소리)을 쓰세요.

雪

뜻 ________

음 ________

한자와 뜻·음(소리)을 쓰세요.

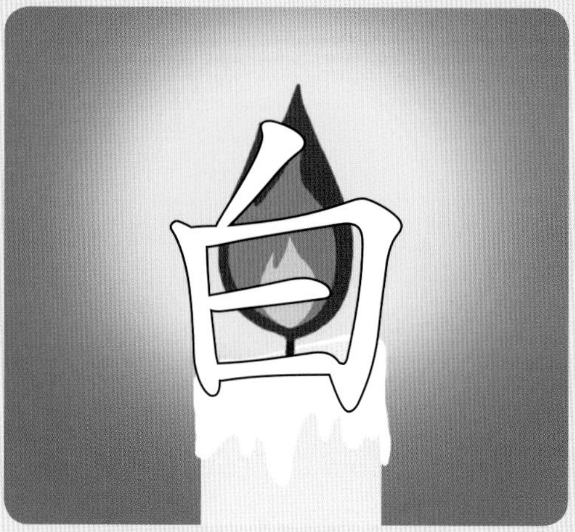

白

뜻 ________

음 ________

한자와 뜻·음(소리)을 쓰세요.

風

뜻 ________

음 ________

한자와 뜻·음(소리)을 쓰세요.

淸

뜻 ________

음 ________

자연 한자

光

빛 광

자연 한자

明

밝을 명

자연 한자

地

땅 지

자연 한자

球

공 구

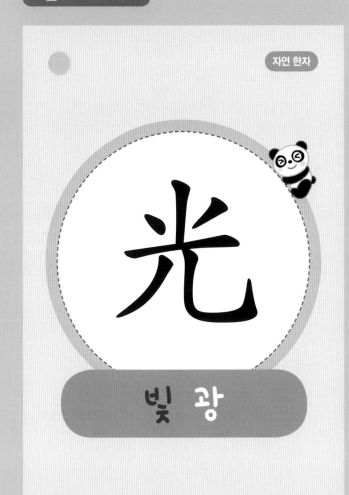

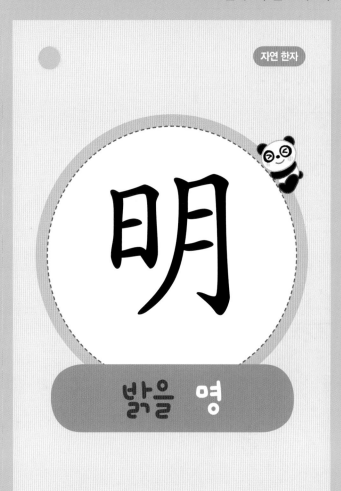

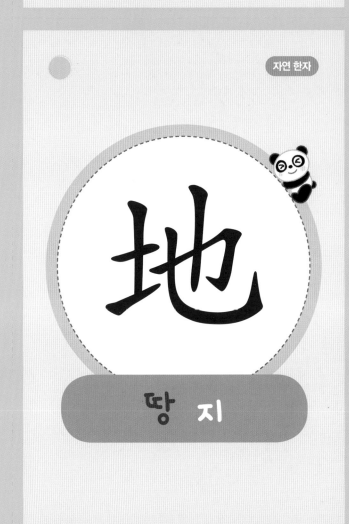

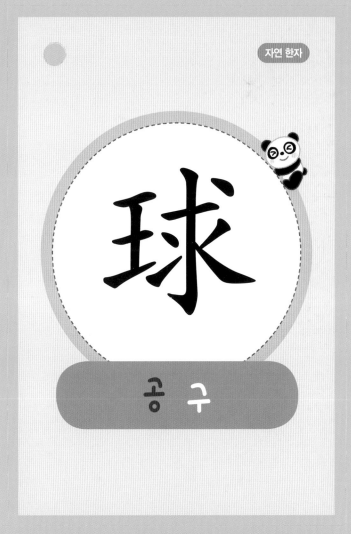

한자와 뜻·음(소리)을 쓰세요.

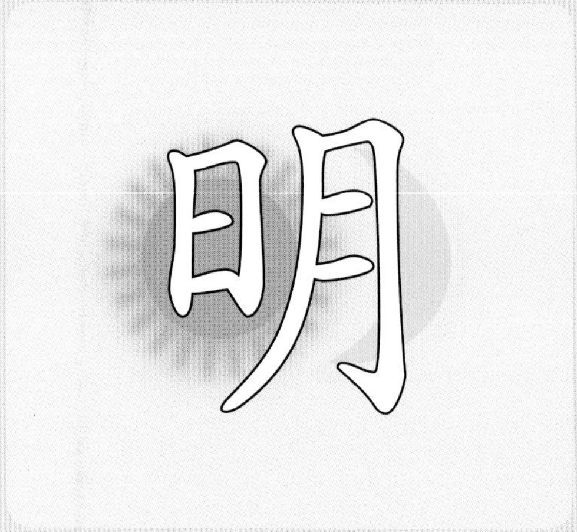

明

뜻 ____________

음 ____________

한자와 뜻·음(소리)을 쓰세요.

光

뜻 ____________

음 ____________

한자와 뜻·음(소리)을 쓰세요.

球

뜻 ____________

음 ____________

한자와 뜻·음(소리)을 쓰세요.

地

뜻 ____________

음 ____________

자연 한자

圖

그림 도

자연 한자

形

모양 형

시간 한자

今

이제 금

시간 한자

方

모 방

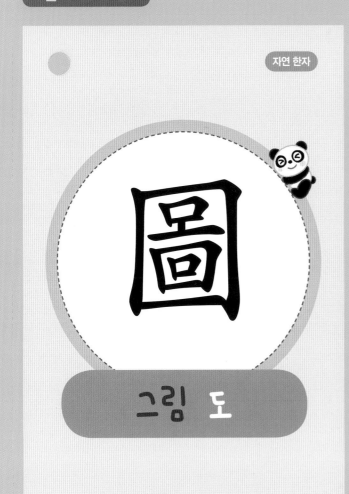

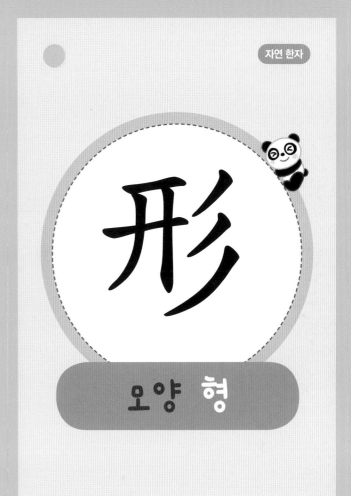

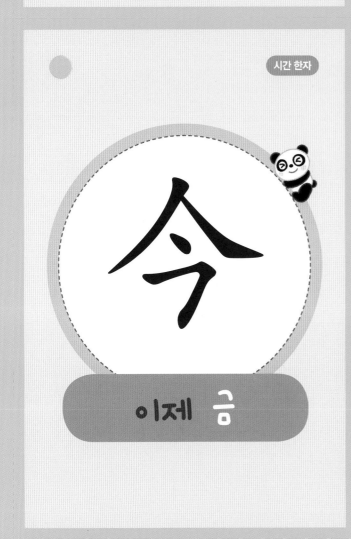

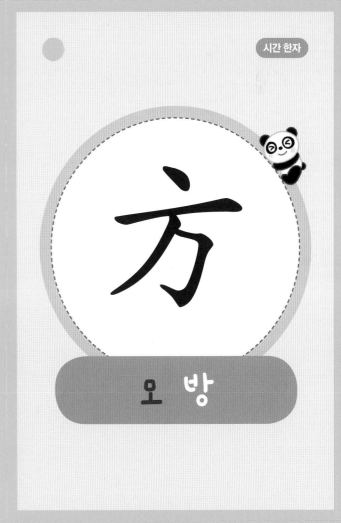

한자와 뜻·음(소리)을 쓰세요.

形

뜻 ____________

음 ____________

한자와 뜻·음(소리)을 쓰세요.

圖

뜻 ____________

음 ____________

한자와 뜻·음(소리)을 쓰세요.

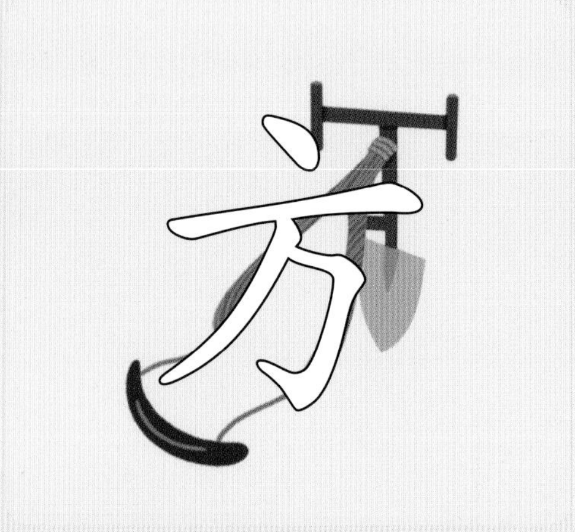

方

뜻 ____________

음 ____________

한자와 뜻·음(소리)을 쓰세요.

今

뜻 ____________

음 ____________

시간 한자

午

낮 오

시간 한자

前

앞 전

시간 한자

每

매양 매

시간 한자

日

날 일

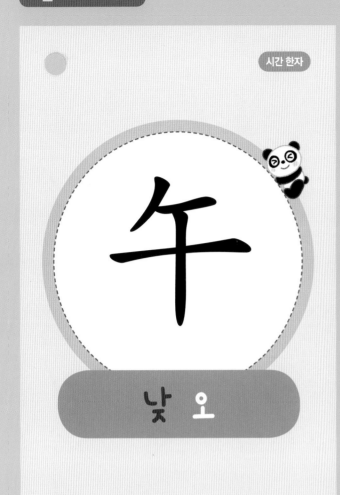

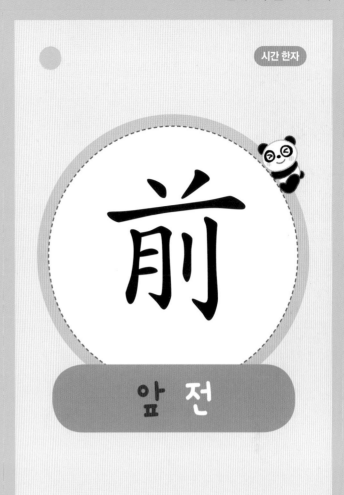

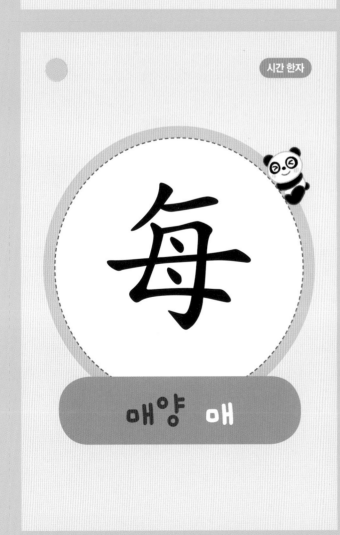

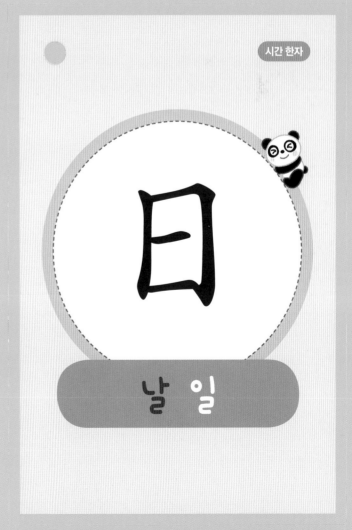

한자와 뜻·음(소리)을 쓰세요.

前

뜻 ________

음 ________

한자와 뜻·음(소리)을 쓰세요.

午

뜻 ________

음 ________

한자와 뜻·음(소리)을 쓰세요.

日

뜻 ________

음 ________

한자와 뜻·음(소리)을 쓰세요.

每

뜻 ________

음 ________

시간 한자

昨

어제 작

시간 한자

年

해 년

시간 한자

時

때 시

시간 한자

代

대신할 대

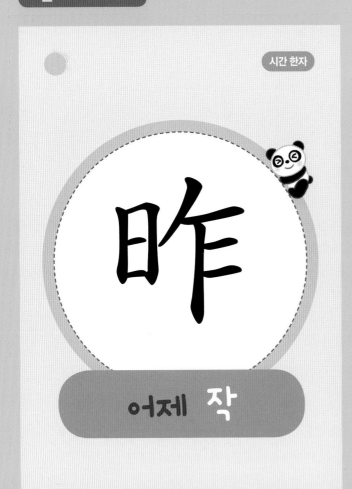

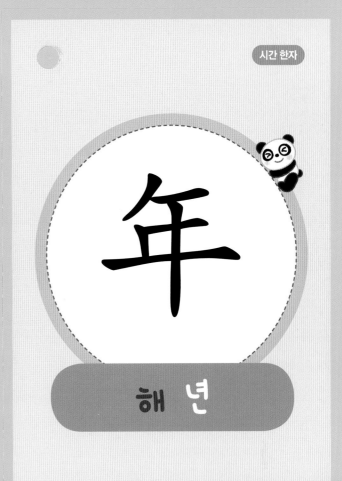

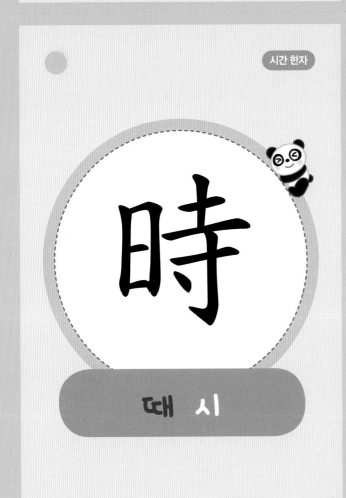

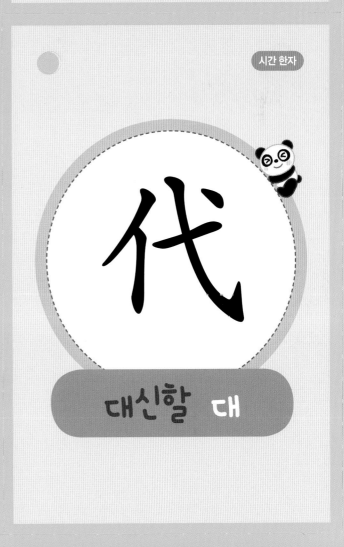

한자와 뜻·음(소리)을 쓰세요.

年

뜻 ____________

음 ____________

한자와 뜻·음(소리)을 쓰세요.

昨

뜻 ____________

음 ____________

한자와 뜻·음(소리)을 쓰세요.

代

뜻 ____________

음 ____________

한자와 뜻·음(소리)을 쓰세요.

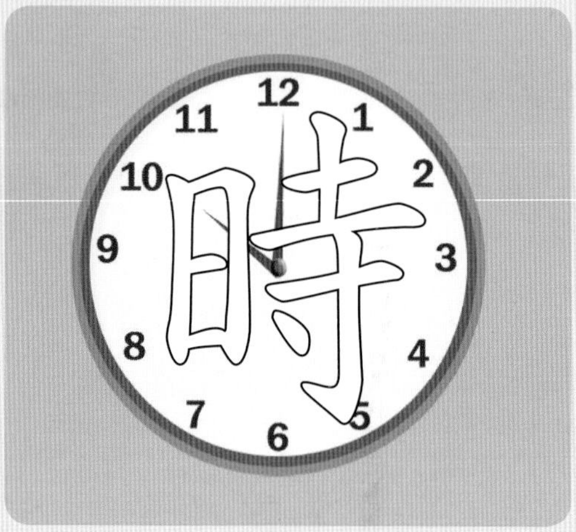

時

뜻 ____________

음 ____________

건강 한자

身

몸 신

건강 한자

體

몸 체

건강 한자

急

급할 급

건강 한자

所

바 소

한자와 뜻·음(소리)을 쓰세요.

體

뜻 ________

음 ________

한자와 뜻·음(소리)을 쓰세요.

身

뜻 ________

음 ________

한자와 뜻·음(소리)을 쓰세요.

所

뜻 ________

음 ________

한자와 뜻·음(소리)을 쓰세요.

急

뜻 ________

음 ________

건강 한자

老

늙을 로

건강 한자

弱

약할 약

건강 한자

内

안 내

건강 한자

科

과목 과

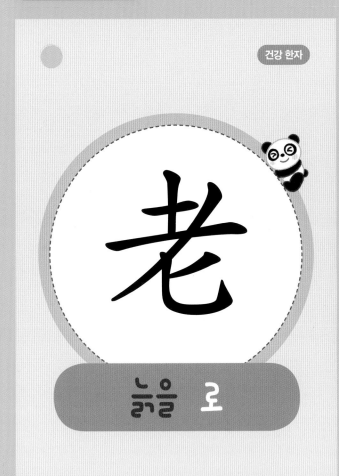

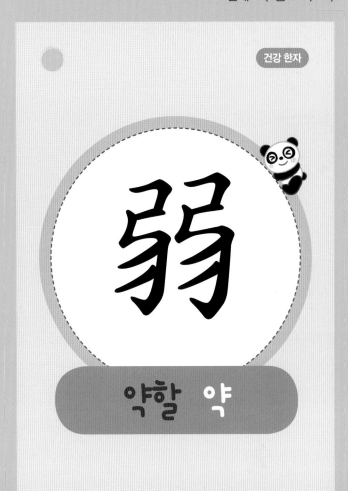

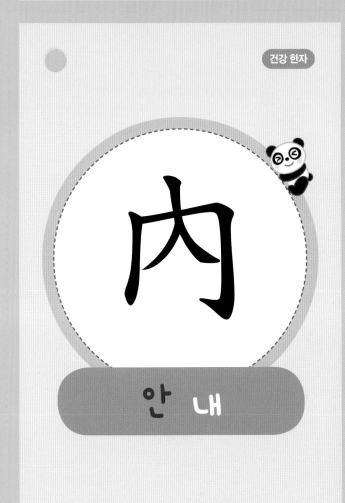

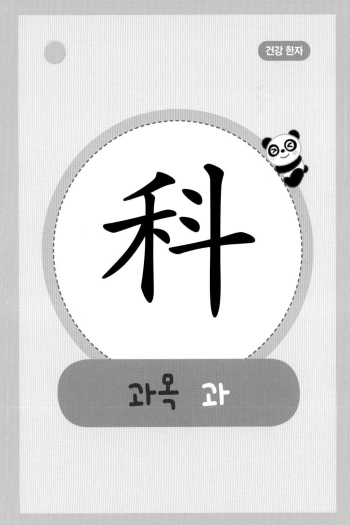

한자와 뜻·음(소리)을 쓰세요.

弱

뜻 ____________

음 ____________

한자와 뜻·음(소리)을 쓰세요.

老

뜻 ____________

음 ____________

한자와 뜻·음(소리)을 쓰세요.

科

뜻 ____________

음 ____________

한자와 뜻·음(소리)을 쓰세요.

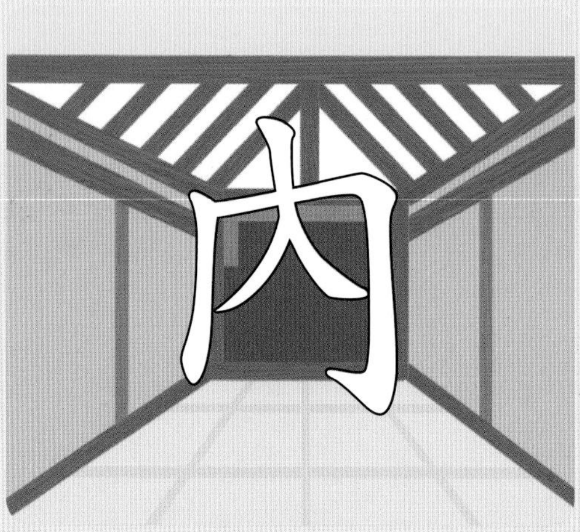

内

뜻 ____________

음 ____________

사람 한자

手

손 수

사람 한자

術

재주 술

사람 한자

天

하늘 천

사람 한자

才

재주 재

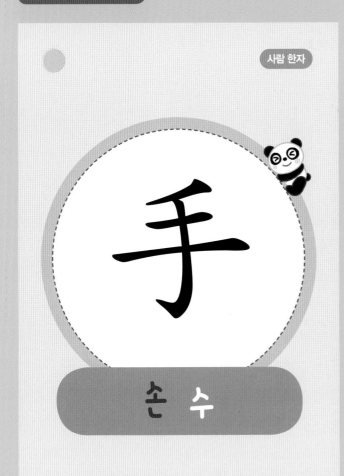

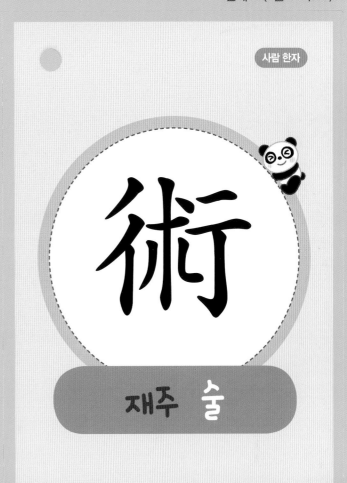

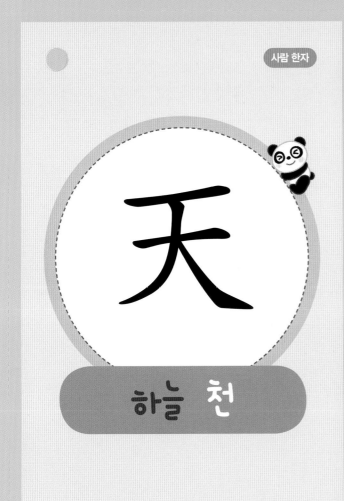

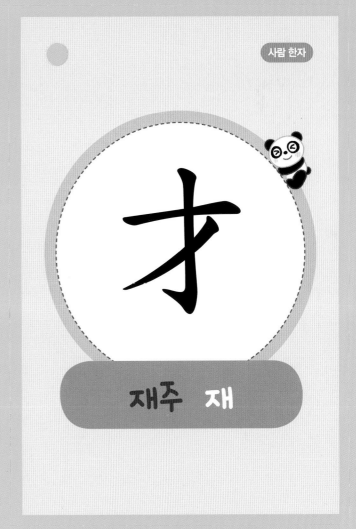

한자와 뜻·음(소리)을 쓰세요.

術

뜻 ____________

음 ____________

한자와 뜻·음(소리)을 쓰세요.

手

뜻 ____________

음 ____________

한자와 뜻·음(소리)을 쓰세요.

才

뜻 ____________

음 ____________

한자와 뜻·음(소리)을 쓰세요.

天

뜻 ____________

음 ____________

사람 한자

神

귀신 신

사람 한자

童

아이 동

사람 한자

各

각각 각

사람 한자

自

스스로 자

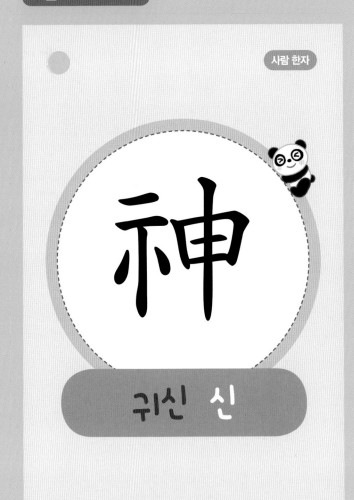

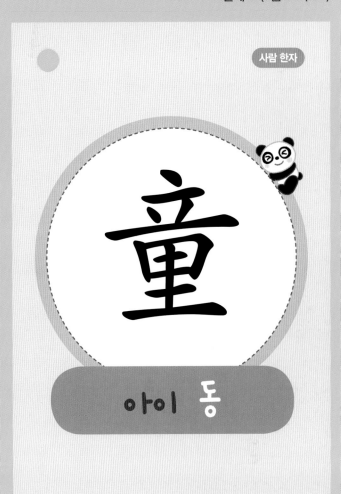

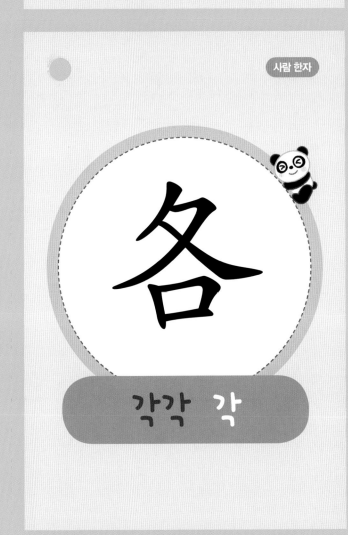

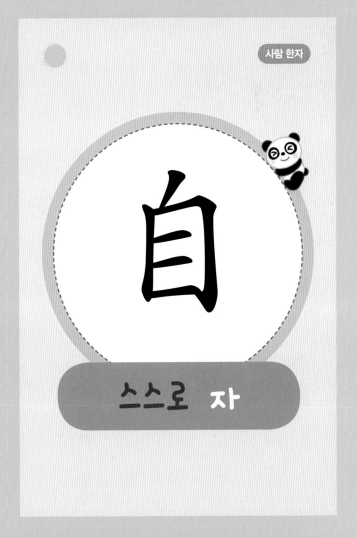

한자와 뜻·음(소리)을 쓰세요.

童

뜻 ________

음 ________

한자와 뜻·음(소리)을 쓰세요.

神

뜻 ________

음 ________

한자와 뜻·음(소리)을 쓰세요.

自

뜻 ________

음 ________

한자와 뜻·음(소리)을 쓰세요.

各

뜻 ________

음 ________

사람 한자

部

떼 부

사람 한자

下

아래 하

사람 한자

生

날 생

사람 한자

計

셀 계

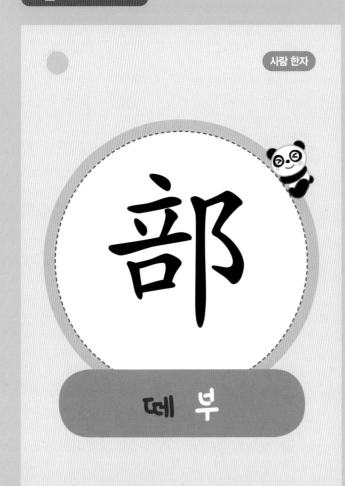

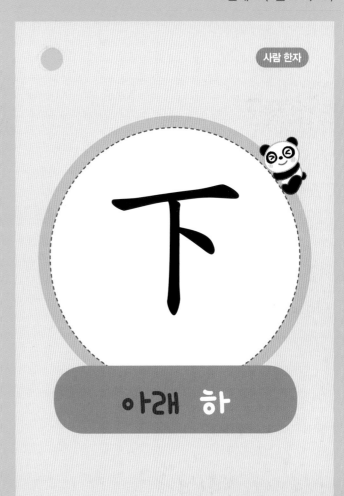

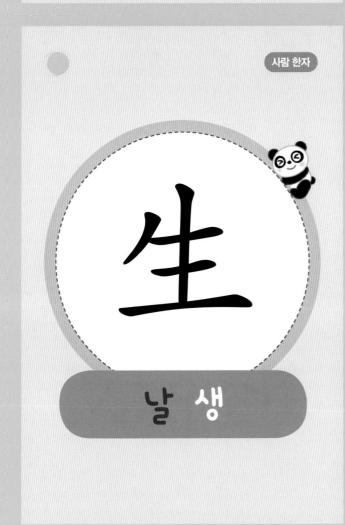

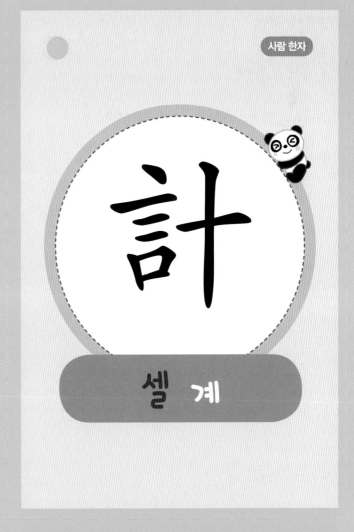

한자와 뜻·음(소리)을 쓰세요.

下

뜻 ________

음 ________

한자와 뜻·음(소리)을 쓰세요.

部

뜻 ________

음 ________

한자와 뜻·음(소리)을 쓰세요.

計

뜻 ________

음 ________

한자와 뜻·음(소리)을 쓰세요.

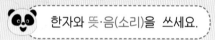

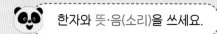

生

뜻 ________

음 ________

꼭 알아야 할
사자성어

水 漁 之 交

물	물고기	갈	사귈
수	어	지	교

물고기에게 물은 정말 소중한 존재이지요.
수어지교란 물고기와 물의 관계처럼,
아주 친밀하여 떨어질 수 없는 사이
또는 깊은 우정을 일컫는 말이랍니다.

똑 똑 한

하루 한자

정답

4단계 B

6급Ⅱ 기초2

천재교육

배운 내용은
꼭꼭 복습하기!

똑 똑 한

하루 한자

정답

1주 ········· 2쪽

2주 ········· 7쪽

3주 ········· 12쪽

4주 ········· 17쪽

4 단계 B

6급Ⅱ 기초2

정답

1주 도입

012~013쪽

1주에는 무엇을 공부할까? ❷

◐ 정답 2쪽

✪ 이번 주에 배울 한자들이 그림 속에 숨어 있어요. 보기를 참고해서 한자 10개를 찾아 ○표 하고, 그중 보기 속 한자에 없는 숨은 한자의 개수를 쓰세요. (2)개

보기

白 흰 백	雪 눈 설	清 맑을 청	風 바람 풍	光 빛 광
明 밝을 명	地 땅 지	球 공 구	圖 그림 도	形 모양 형

12 • 똑똑한 하루 한자

4단계-B 1주 • 13

1주 1일

018~019쪽

1일 자연 한자 白 흰 백 | 雪 눈 설 **기초 실력을 키워요**

◐ 정답 2쪽

기초 집중 연습

한자 확인

1 다음 말풍선 속 밑줄 친 뜻에 해당하는 한자를 찾아 ∨표 하세요.

☑ 雪 ☐ 白

어휘 확인

2 그림 속 내용이 맞으면 '예', 틀리면 '아니요'에 ○표 하세요.

'白紙'는 '흰 종이. 아무것도 적지 않은 비어 있는 종이'라는 뜻입니다. — (예)에 ○표 / 아니요

'白雪'은 '백색'이라고 읽습니다. — 예 / (아니요)에 ○표

어휘 확인

3 다음 밑줄 친 한자어의 음(소리)을 쓰세요.

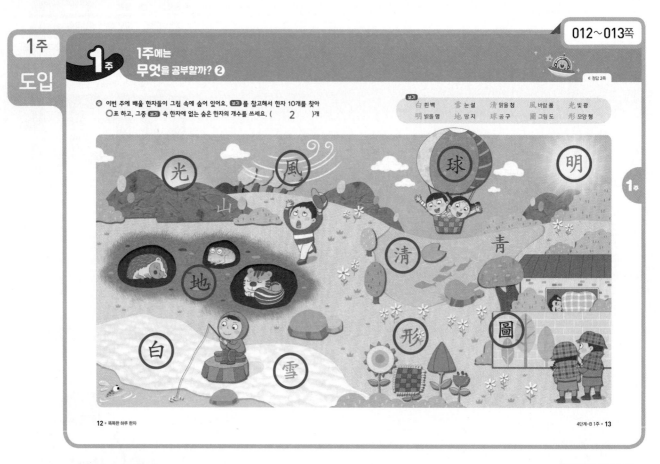

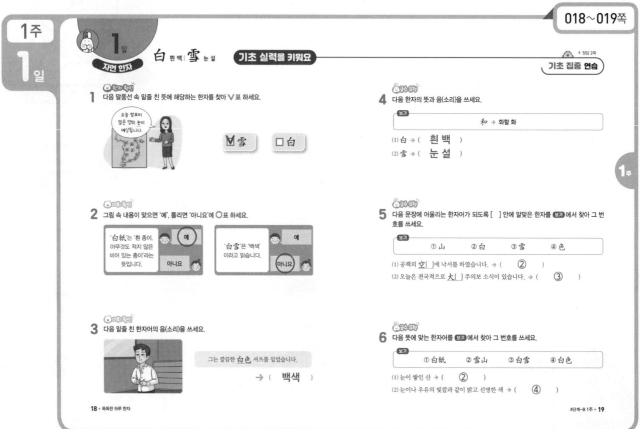

그는 깔끔한 白色 셔츠를 입었습니다.

→ (백색)

급수 유형

4 다음 한자의 뜻과 음(소리)을 쓰세요.

보기: 和 → 화할 화

(1) 白 → (흰 백)
(2) 雪 → (눈 설)

급수 유형

5 다음 문장에 어울리는 한자어가 되도록 [ ] 안에 알맞은 한자를 보기에서 찾아 그 번호를 쓰세요.

보기: ① 山 ② 白 ③ 雪 ④ 色

(1) 공책의 空[ ]에 낙서를 하였습니다. → (②)
(2) 오늘은 전국적으로 大[ ] 주의보 소식이 있습니다. → (③)

급수 유형

6 다음 뜻에 맞는 한자어를 보기에서 찾아 그 번호를 쓰세요.

보기: ① 白紙 ② 雪山 ③ 白雪 ④ 白色

(1) 눈이 쌓인 산 → (②)
(2) 눈이나 우유의 빛깔과 같이 밝고 선명한 색 → (④)

18 • 똑똑한 하루 한자

4단계-B 1주 • 19

024~025쪽

1주 2일

2일 자연 한자

清 맑을 청 | 風 바람 풍 **기초 실력을 키워요**

정답 3쪽

기초 집중 연습

한자 확인

1 다음에서 '風'의 뜻과 음(소리)을 찾아 ○표 하세요.

맑을 청 / 흰 백 / (바람 풍)

어휘 확인

2 다음 그림이 나타내는 낱말을 찾아 선으로 이으세요.

청풍 / 풍물 (그림 — 풍물)

어휘 확인

3 다음 □에 들어갈 한자로 알맞은 것을 찾아 ∨표 하세요.

서당 개 삼 년이면 □月을 읊습니다.

☑ 風　□ 清

급수 유형

4 다음 한자의 뜻과 음(소리)을 쓰세요.

보기: 雪 → 눈 설

(1) 風 → (바람 풍)
(2) 清 → (맑을 청)

급수 유형

5 다음 밑줄 친 한자어의 독음을 쓰세요.

보기: 空白 → 공백

(1) 하늘이 높고 清明한 날씨입니다. → (청명)
(2) 소녀의 낭랑한 清音이 아직도 귓가에 맴돕니다. → (청음)

급수 유형

6 다음 뜻에 맞는 한자어를 보기에서 찾아 그 번호를 쓰세요.

보기: ① 東風　② 風月　③ 清風　④ 清音

(1) 동쪽에서 부는 바람 → (①)
(2) 부드럽고 맑은 바람 → (③)

030~031쪽

1주 3일

3일 자연 한자

光 빛 광 | 明 밝을 명 **기초 실력을 키워요**

정답 3쪽

기초 집중 연습

한자 확인

1 다음 한자와 뜻이 반대되는 낱말을 찾아 선으로 이으세요.

明 — 어둡다 / 무겁다

어휘 확인

2 다음 밑줄 친 한자어의 음(소리)으로 알맞은 것을 찾아 ∨표 하세요.

月光이 은은하게 마을을 비춥니다.

☑ 월광　□ 월명

어휘 확인

3 다음 설명에 해당하는 한자어를 찾아 ○표 하세요.

설명: 밝고 환함.

月光 / 後光 / (光明)

급수 유형

4 다음 한자의 뜻과 음(소리)을 쓰세요.

보기: 清 → 맑을 청

(1) 明 → (밝을 명)
(2) 光 → (빛 광)

급수 유형

5 다음 문장에 어울리는 한자어가 되도록 [ ] 안에 알맞은 한자를 보기에서 찾아 그 번호를 쓰세요.

보기: ① 風　② 明　③ 光　④ 東

(1) 눈 쌓인 언덕에 月[ ]이 반짝입니다. → (③)
(2) 아이는 자신의 생각을 分[ ]하게 표현하였습니다. → (②)

급수 유형

6 다음 뜻에 맞는 한자어를 보기에서 찾아 그 번호를 쓰세요.

보기: ① 發明　② 明堂　③ 光明　④ 後光

(1) 뒤에서 비추는 빛 → (④)
(2) 지금까지 없던 기술이나 물건을 새로 생각하여 만들어 냄. → (①)

1주 4일

036~037쪽

4일 자연 한자 地 땅 지 | 球 공 구 — 기초 실력을 키워요

1 다음 그림이 나타내는 한자와 음(소리)을 찾아 선으로 이으세요.

地 — 지, 球 — 구 (그림: 球)

2 다음 그림과 설명을 보고 알맞은 낱말을 쓰세요.

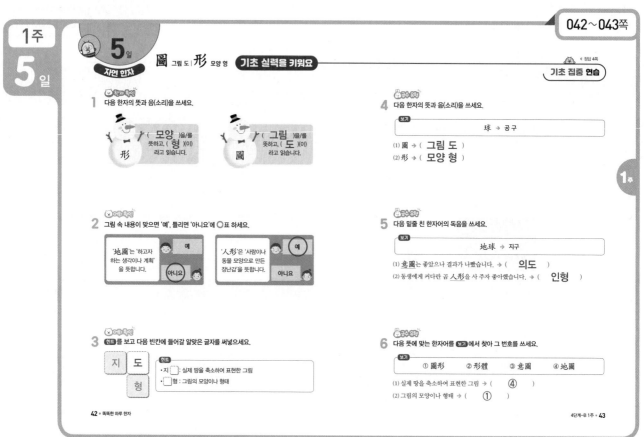

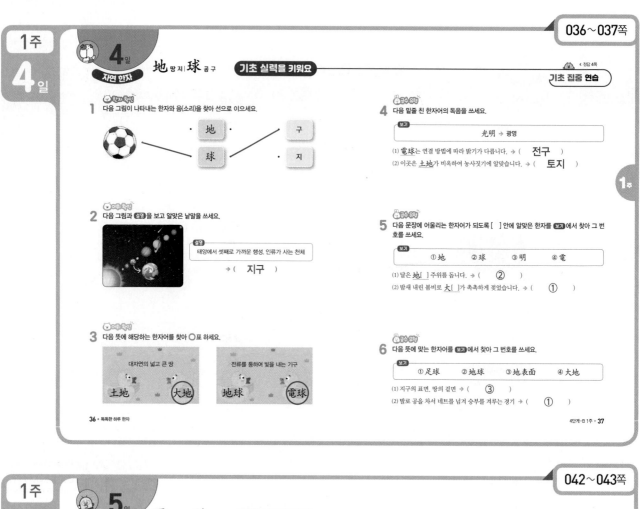

설명: 태양에서 셋째로 가까운 행성. 인류가 사는 천체

→ (지구)

3 다음 뜻에 해당하는 한자어를 찾아 ○표 하세요.

- 대자연의 넓고 큰 땅: 土地 / (大地)
- 전류를 통하여 빛을 내는 기구: 地球 / (電球)

기초 집중 연습

◀ 정답 4쪽

4 다음 밑줄 친 한자어의 독음을 쓰세요.

보기: 光明 → 광명

(1) 電球는 연결 방법에 따라 밝기가 다릅니다. → (전구)
(2) 이곳은 土地가 비옥하여 농사짓기에 알맞습니다. → (토지)

5 다음 문장에 어울리는 한자어가 되도록 [ ] 안에 알맞은 한자를 보기에서 찾아 그 번호를 쓰세요.

보기: ① 地 ② 球 ③ 明 ④ 電

(1) 달은 地[ ] 주위를 돕니다. → (②)
(2) 밤새 내린 봄비로 大[ ]가 촉촉하게 젖었습니다. → (①)

6 다음 뜻에 맞는 한자어를 보기에서 찾아 그 번호를 쓰세요.

보기: ① 足球 ② 地球 ③ 地表面 ④ 大地

(1) 지구의 표면. 땅의 겉면 → (③)
(2) 발로 공을 차서 네트를 넘겨 승부를 겨루는 경기 → (①)

1주 5일

042~043쪽

5일 자연 한자 圖 그림 도 | 形 모양 형 — 기초 실력을 키워요

1 다음 한자의 뜻과 음(소리)을 쓰세요.

- 形: (모양)을/를 뜻하고, (형)(이)라고 읽습니다.
- 圖: (그림)을/를 뜻하고, (도)(이)라고 읽습니다.

2 그림 속 내용이 맞으면 '예', 틀리면 '아니요'에 ○표 하세요.

- '地圖'는 '하고자 하는 생각이나 계획'을 뜻합니다. → 예 / (아니요)
- '人形'은 '사람이나 동물 모양으로 만든 장난감'을 뜻합니다. → (예) / 아니요

3 힌트를 보고 다음 빈칸에 들어갈 알맞은 글자를 써넣으세요.

지 도 / 형

힌트
- 지[ ]: 실제 땅을 축소하여 표현한 그림
- [ ]형: 그림의 모양이나 형태

기초 집중 연습

◀ 정답 4쪽

4 다음 한자의 뜻과 음(소리)을 쓰세요.

보기: 球 → 공 구

(1) 圖 → (그림 도)
(2) 形 → (모양 형)

5 다음 밑줄 친 한자어의 독음을 쓰세요.

보기: 地球 → 지구

(1) 意圖는 좋았으나 결과가 나빴습니다. → (의도)
(2) 동생에게 커다란 곰 人形을 사 주자 좋아했습니다. → (인형)

6 다음 뜻에 맞는 한자어를 보기에서 찾아 그 번호를 쓰세요.

보기: ① 圖形 ② 形體 ③ 意圖 ④ 地圖

(1) 실제 땅을 축소하여 표현한 그림 → (④)
(2) 그림의 모양이나 형태 → (①)

1주 누구나 100점 TEST

1주 특강

1주 특강 생각을 키워요 ❶

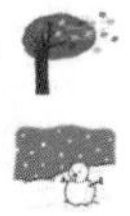

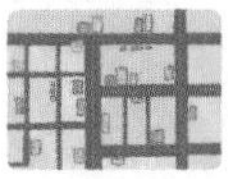

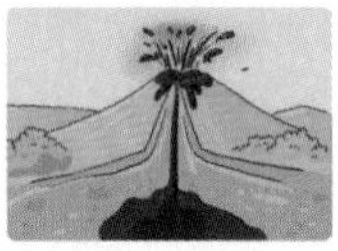

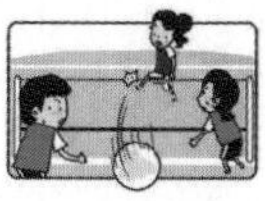

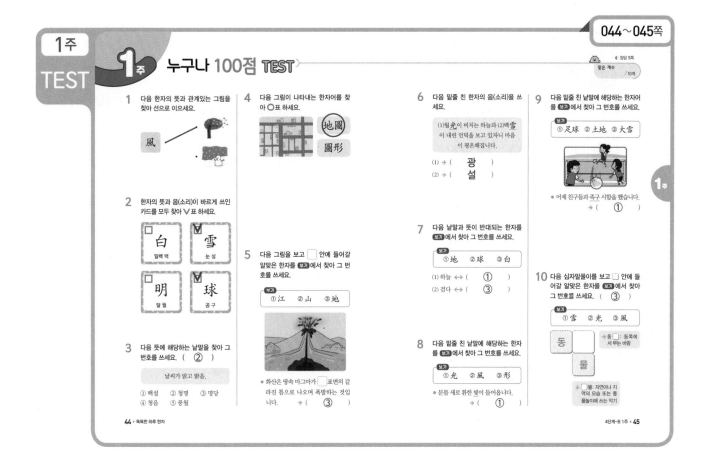

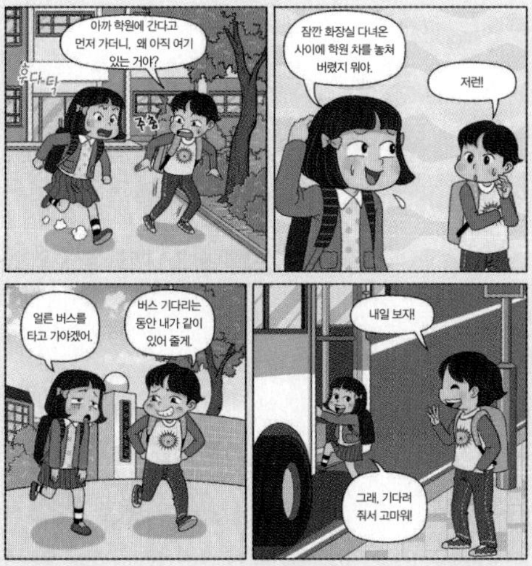

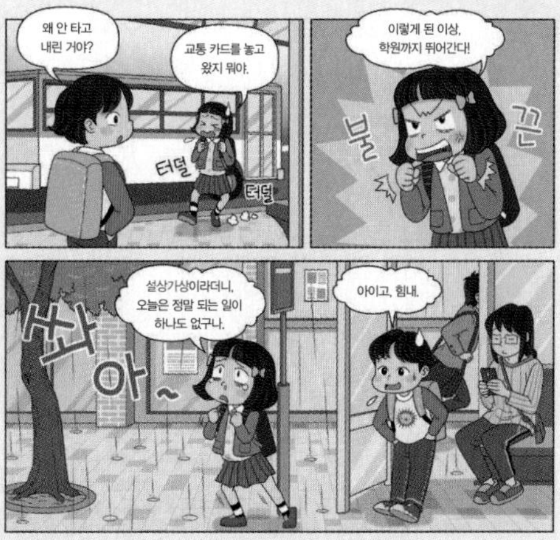

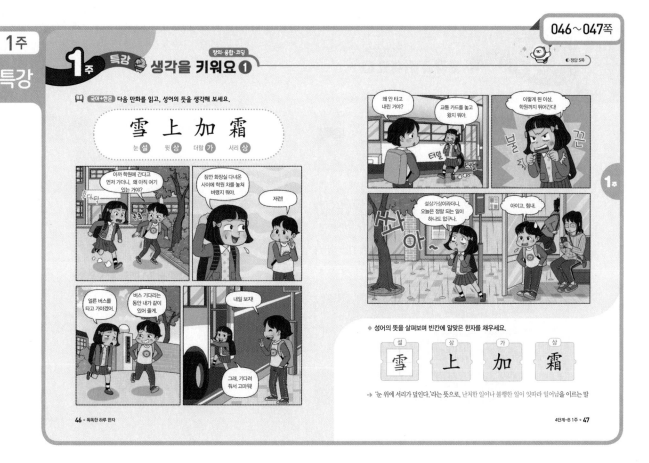

1주 특강

생각을 키워요 ❷ 창의·융합·코딩

48 • 똑똑한 하루 한자

4단계-B 1주 • 49

1주 특강

생각을 키워요 ❸ 창의·융합·코딩

50 • 똑똑한 하루 한자

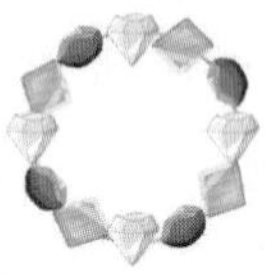

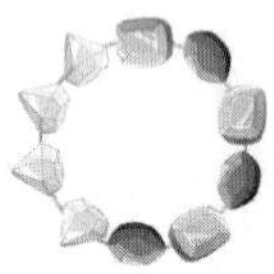

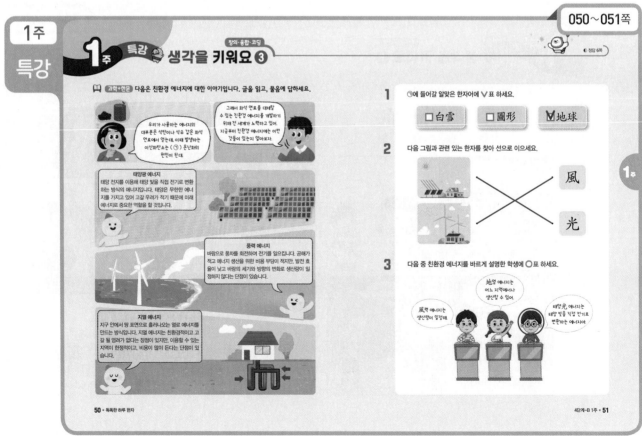

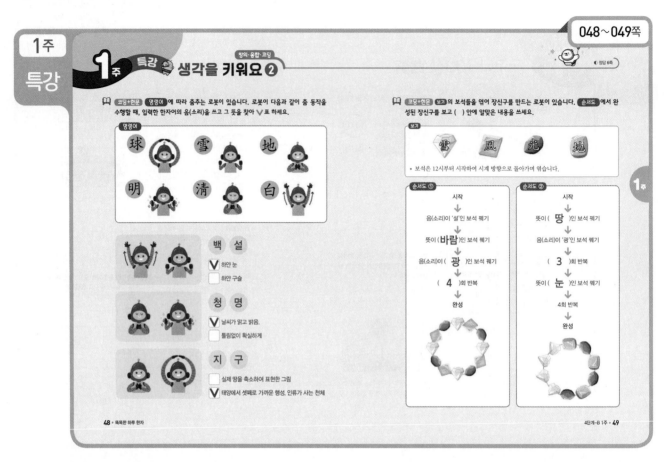

2주 도입

2주에는 무엇을 공부할까? ❷

ⓒ 정답 7쪽

✪ 이번 주에 배울 한자가 전철 노선도에 있어요. 보기 의 순서대로 따라가서 모차르트가 빨리 연주장에 도착할 수 있도록 해 주세요.

보기
今 이제 금 → 方 모 방 → 午 낮 오 → 前 앞 전 → 每 매양 매 → 日 날 일 → 昨 어제 작 → 年 해 년 → 時 때 시 → 代 대신할 대

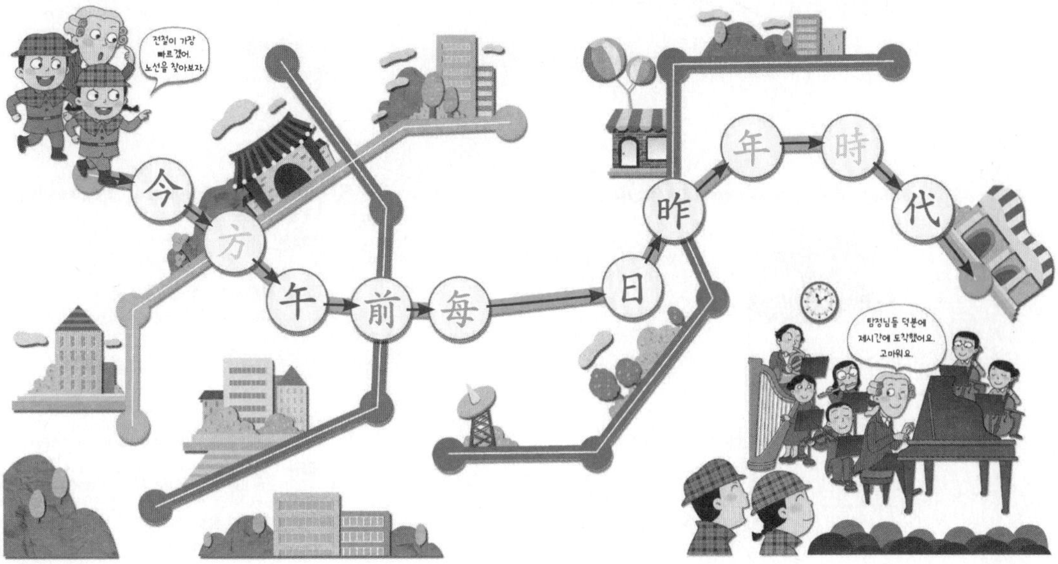

전철이 가장 빠르겠어. 노선을 찾아보자.
今
方
午
前
每
日
昨
年
時
代
탐정님들 덕분에 제시간에 도착했어요. 고마워요.

2주 1일

1일 시간 한자 今 이제 금 | 方 모 방 기초 실력을 키워요

ⓒ 정답 7쪽

기초 집중 연습

한자 확인

1 다음 말풍선 속 밑줄 친 뜻에 해당하는 한자를 찾아 ∨표 하세요.

등산 코스와 방향을 알 수 있도록 노란 리본을 달아 놓았어요.

□ 今

☑ 方

어휘 확인

2 다음 설명 에 해당하는 한자어를 찾아 ○표 하세요.

설명
말하고 있는 시점부다 바로 조금 전

今日 / 今明 / (今方)

어휘 확인

3 다음 밑줄 친 한자어의 음(소리)을 쓰세요.

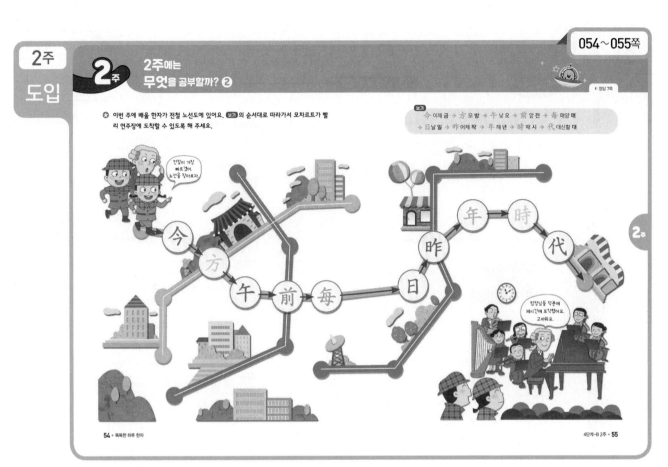

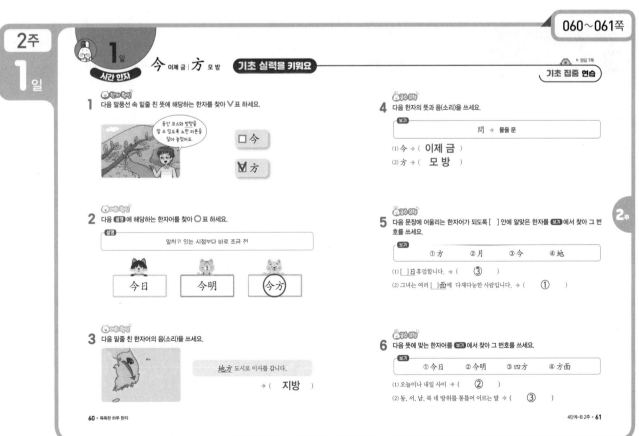

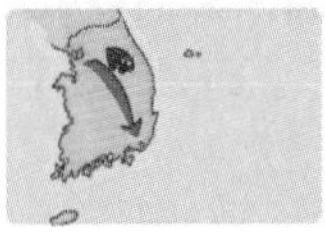

地方 도시로 이사를 갑니다.

→ (지방)

급수 시험

4 다음 한자의 뜻과 음(소리)을 쓰세요.

보기
問 → 물을 문

(1) 今 → (이제 금)

(2) 方 → (모 방)

급수 시험

5 다음 문장에 어울리는 한자어가 되도록 [ ] 안에 알맞은 한자를 보기 에서 찾아 그 번호를 쓰세요.

보기
① 方 ② 月 ③ 今 ④ 地

(1) [ ]日 휴업합니다. → (③)

(2) 그녀는 여러 [ ]面에 다재다능한 사람입니다. → (①)

급수 시험

6 다음 뜻에 맞는 한자어를 보기 에서 찾아 그 번호를 쓰세요.

보기
① 今日 ② 今明 ③ 四方 ④ 方面

(1) 오늘이나 내일 사이 → (②)

(2) 동, 서, 남, 북 네 방위를 통틀어 이르는 말 → (③)

정답

066~067쪽

2주 2일

2일 시간 한자 午 낮 오 | 前 앞 전

기초 실력을 키워요

한자 확인

1 다음 한자의 뜻과 음으로 알맞은 것을 찾아 선으로 이으세요.

午 — 낮 — 오
前 — 앞 — 전

어휘 확인

2 다음 문장에 들어갈 말로 어울리는 한자어를 찾아 ○표 하세요.

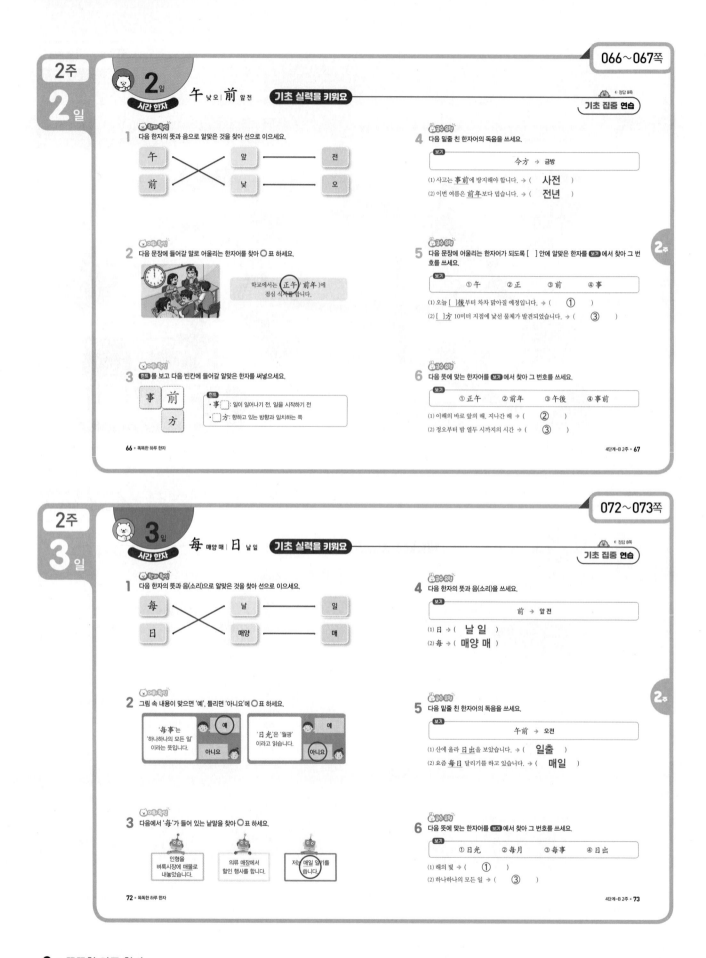

학교에서는 (正午 / 前年)에 점심 식사를 합니다. → 正午에 ○표

어휘 확인

3 힌트를 보고 다음 빈칸에 들어갈 알맞은 한자를 써넣으세요.

事 前
方

힌트
- 事□: 일이 일어나기 전. 일을 시작하기 전
- □方: 향하고 있는 방향과 일치하는 쪽

정답 8쪽

기초 집중 연습

급수 유형

4 다음 밑줄 친 한자어의 독음을 쓰세요.

보기: 今方 → 금방

(1) 사고는 事前에 방지해야 합니다. → (사전)
(2) 이번 여름은 前年보다 덥습니다. → (전년)

급수 유형

5 다음 문장에 어울리는 한자어가 되도록 [ ] 안에 알맞은 한자를 보기에서 찾아 그 번호를 쓰세요.

보기: ① 午 ② 正 ③ 前 ④ 事

(1) 오늘 [ ]後부터 차차 맑아질 예정입니다. → (①)
(2) [ ]方 10미터 지점에 낯선 물체가 발견되었습니다. → (③)

급수 유형

6 다음 뜻에 맞는 한자어를 보기에서 찾아 그 번호를 쓰세요.

보기: ① 正午 ② 前年 ③ 午後 ④ 事前

(1) 이해의 바로 앞의 해. 지나간 해 → (②)
(2) 정오부터 밤 열두 시까지의 시간 → (③)

66 • 똑똑한 하루 한자 / 4단계-B 2주 • 67

072~073쪽

2주 3일

3일 시간 한자 每 매양 매 | 日 날 일

기초 실력을 키워요

한자 확인

1 다음 한자의 뜻과 음(소리)으로 알맞은 것을 찾아 선으로 이으세요.

每 — 매양 — 매
日 — 날 — 일

어휘 확인

2 그림 속 내용이 맞으면 '예', 틀리면 '아니요'에 ○표 하세요.

'每事'는 '하나하나의 모든 일'이라는 뜻입니다. → 예
'日光'은 '월광'이라고 읽습니다. → 아니요

어휘 확인

3 다음에서 '每'가 들어 있는 낱말을 찾아 ○표 하세요.

- 인형을 벼룩시장에 매물로 내놓았습니다.
- 의류 매장에서 할인 행사를 합니다.
- 저는 매일 일기를 씁니다. → 매일에 ○표

정답 8쪽

기초 집중 연습

급수 유형

4 다음 한자의 뜻과 음(소리)을 쓰세요.

보기: 前 → 앞 전

(1) 日 → (날 일)
(2) 每 → (매양 매)

급수 유형

5 다음 밑줄 친 한자어의 독음을 쓰세요.

보기: 午前 → 오전

(1) 산에 올라 日出을 보았습니다. → (일출)
(2) 요즘 每日 달리기를 하고 있습니다. → (매일)

급수 유형

6 다음 뜻에 맞는 한자어를 보기에서 찾아 그 번호를 쓰세요.

보기: ① 日光 ② 每月 ③ 每事 ④ 日出

(1) 해의 빛 → (①)
(2) 하나하나의 모든 일 → (③)

72 • 똑똑한 하루 한자 / 4단계-B 2주 • 73

2주 4일 · 078~079쪽

4일 시간 한자

昨 어제 작 | 年 해 년 **기초 실력을 키워요** · 정답 9쪽 · 기초 집중 연습

한자 확인

1 다음 말풍선 속 밑줄 친 뜻에 해당하는 한자를 찾아 ∨표 하세요.

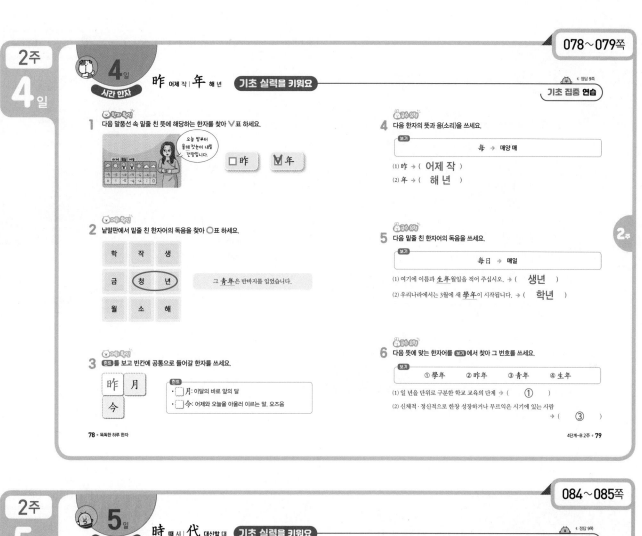

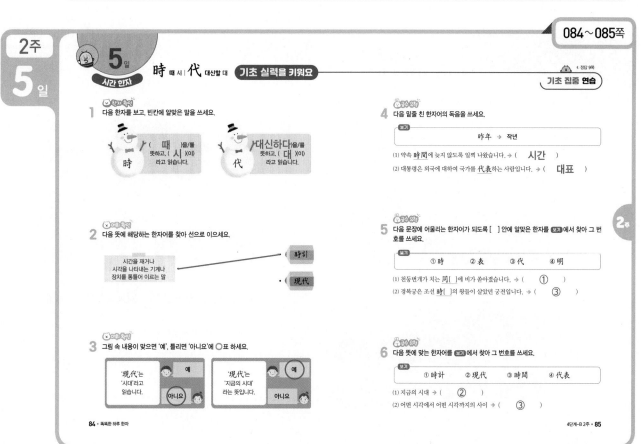

오늘 밤부터
올해 첫눈이 내릴
전망입니다.

□ 昨 ☑ 年

어휘 확인

2 낱말판에서 밑줄 친 한자어의 독음을 찾아 ○표 하세요.

학	작	생
금	(청	년)
월	소	해

그 <u>青年</u>은 반바지를 입었습니다.

어휘 확인

3 힌트를 보고 빈칸에 공통으로 들어갈 한자를 쓰세요.

昨 月 / 今

힌트
- □月: 이달의 바로 앞의 달
- □今: 어제와 오늘을 아울러 이르는 말. 요즈음

급수 유형

4 다음 한자의 뜻과 음(소리)을 쓰세요.

보기: 每 → 매양 매

(1) 昨 → (어제 작)

(2) 年 → (해 년)

급수 유형

5 다음 밑줄 친 한자어의 독음을 쓰세요.

보기: 每日 → 매일

(1) 여기에 이름과 <u>生年</u>월일을 적어 주십시오. → (생년)

(2) 우리나라에서는 3월에 새 <u>學年</u>이 시작됩니다. → (학년)

급수 유형

6 다음 뜻에 맞는 한자어를 보기에서 찾아 그 번호를 쓰세요.

보기: ① 學年 ② 昨年 ③ 青年 ④ 生年

(1) 일 년을 단위로 구분한 학교 교육의 단계 → (①)

(2) 신체적·정신적으로 한창 성장하거나 무르익은 시기에 있는 사람 → (③)

78 ◦ 똑똑한 하루 한자 / 4단계-B 2주 ◦ 79

2주 5일 · 084~085쪽

5일 시간 한자

時 때 시 | 代 대신할 대 **기초 실력을 키워요** · 정답 9쪽 · 기초 집중 연습

한자 확인

1 다음 한자를 보고, 빈칸에 알맞은 말을 쓰세요.

時: (때)을/를 뜻하고, (시)(이)라고 읽습니다.

代: (대신하다)을/를 뜻하고, (대)(이)라고 읽습니다.

어휘 확인

2 다음 뜻에 해당하는 한자어를 찾아 선으로 이으세요.

시간을 재거나 시각을 나타내는 기계나 장치를 통틀어 이르는 말 —— 時計

· 現代

어휘 확인

3 그림 속 내용이 맞으면 '예', 틀리면 '아니요'에 ○표 하세요.

'現代'는 '시대'라고 읽습니다. — 예 / (아니요)

'現代'는 '지금의 시대'라는 뜻입니다. — (예) / 아니요

급수 유형

4 다음 밑줄 친 한자어의 독음을 쓰세요.

보기: 昨年 → 작년

(1) 약속 <u>時間</u>에 늦지 않도록 일찍 나왔습니다. → (시간)

(2) 대통령은 외국에 대하여 국가를 <u>代表</u>하는 사람입니다. → (대표)

급수 유형

5 다음 문장에 어울리는 한자어가 되도록 [ ] 안에 알맞은 한자를 보기에서 찾아 그 번호를 쓰세요.

보기: ① 時 ② 表 ③ 代 ④ 明

(1) 천둥번개가 치는 同[ ]에 비가 쏟아졌습니다. → (①)

(2) 경복궁은 조선 時[ ]의 왕들이 살았던 궁전입니다. → (③)

급수 유형

6 다음 뜻에 맞는 한자어를 보기에서 찾아 그 번호를 쓰세요.

보기: ① 時計 ② 現代 ③ 時間 ④ 代表

(1) 지금의 시대 → (②)

(2) 어떤 시각에서 어떤 시각까지의 사이 → (③)

84 ◦ 똑똑한 하루 한자 / 4단계-B 2주 ◦ 85

정답

2주 TEST — 086~087쪽

2주 누구나 100점 TEST

◐ 정답 10쪽 맞은 개수 /10개

1 다음 한자 카드의 □ 안에 알맞은 한자를 쓰세요.

(1) 
前 앞 전

(2) 
昨 어제 작

2 한자의 뜻과 음(소리)이 바르게 쓰인 카드를 모두 찾아 V표 하세요.

□ 每 뜰 정 □ 午 공평할 공 ☑ 方 모 방 ☑ 昨 어제 작

3 다음 뜻에 해당하는 낱말을 찾아 그 번호를 쓰세요. (②)

자정부터 낮 열두 시까지의 시간

① 일출 ② 오전 ③ 정오 ④ 오후 ⑤ 작금

4 다음 문장의 밑줄 친 한자어를 보기에서 찾아 그 번호를 쓰세요.

보기 ① 時間 ② 日記 ③ 事前

(1) 시간이 날 때마다 책을 읽습니다. → (①)
(2) 사고는 사전에 방지할 수 있습니다. → (③)
(3) 나는 매일 일기를 씁니다. → (②)

5 다음 그림을 보고 □ 안에 들어갈 알맞은 한자를 보기에서 찾아 그 번호를 쓰세요.

보기 ① 光 ② 午 ③ 日

● 해변에서 □광욕을 즐깁니다. → (③)

6 다음 한자의 뜻과 음(소리)으로 알맞은 것에 V표 하세요.

(1) 日 → ☑날 일 □흰 백
(2) 今 → □날 생 ☑이제 금
(3) 時 → ☑때 시 □사이 간

7 다음 한자의 뜻을 보기에서 찾아 그 번호를 쓰세요.

보기 ① 앞 ② 어제 ③ 대신하다

(1) 代 → (③)
(2) 前 → (①)

8 다음 밑줄 친 낱말에 해당하는 한자를 보기에서 찾아 그 번호를 쓰세요.

보기 ① 時 ② 方 ③ 每

● 저는 밥을 먹을 때가 제일 행복합니다. → (①)

9 다음 밑줄 친 낱말에 해당하는 한자어를 보기에서 찾아 그 번호를 쓰세요.

보기 ① 地方 ② 日記 ③ 代表

● 남산 타워는 서울의 대표적인 관광 명소입니다. → (③)

10 다음 십자말풀이를 보고 □ 안에 들어갈 알맞은 한자를 보기에서 찾아 그 번호를 쓰세요. (②)

보기 ① 現 ② 前 ③ 今

사 □
방

→ 사□: 일이 일어나기 전
↓ □방: 향하고 있는 방향과 일치하는 쪽

86 • 똑똑한 하루 한자 4단계-B 2주 • 87

2주 특강 — 088~089쪽

2주 특강 생각을 키워요 ❶ (창의·융합·코딩)

◐ 정답 10쪽

국어+한문 다음 만화를 읽고, 성어의 뜻을 생각해 보세요.

前 代 未 聞
앞 전 대신할 대 아닐 미 들을 문

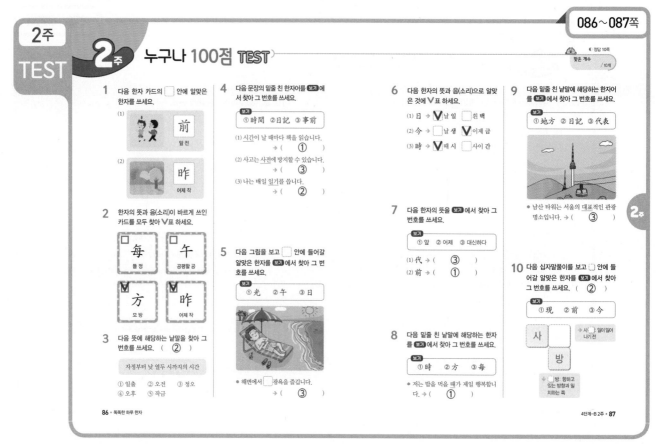

오늘은 운동회 계주 주자를 선발하기 위해 단거리달리기 기록을 잴 거예요.
나는 달리기가 제일 싫어.
왜 달리기가 싫어? 난 달리기 좋아하는데.
아무리 열심히 뛰어도 기록이 안 나오니까 하기가 싫어. 넌 100m를 몇 초에 뛰어?
15초 정도? 나도 예전엔 속도가 느렸는데 연습하니까 조금씩 빨라졌어.
너랑 뛰면 상대적으로 더 못 뛰는 것처럼 보이겠다. 조금만 천천히 뛰어 주지 않을래?
응?

아, 떨려. 긴장된다!
잘할 수 있어. 힘내!
땅
다다다다
무슨 소리지?
악!
엄마야! 벌이다!
쌩~
이건 전대미문의 기록이야. 별이가 100m를 12초대에 들어왔어!

◆ 성어의 뜻을 살펴보며 빈칸에 알맞은 한자를 채우세요.

전	대	미	문
前	代	未	聞

→ '지난 시대에는 들어 본 적이 없다.'라는 뜻으로, 매우 놀랍거나 새로운 일을 이르는 말

88 • 똑똑한 하루 한자 4단계-B 2주 • 89

2주
특강

2주 특강 생각을 키워요 ②

창의·융합·코딩

정답 11쪽

📖 코딩+한문 [암호 규칙]을 이용하여 시간의 방 암호를 풀고 탈출해 봅시다.

• 각 상자 안에 뜻과 음(소리)이 쓰여 있습니다. 길을 따라가 알맞은 한자를 찾아 [암호 규칙]을 참고하여 한글의 자음과 모음으로 조합된 방 암호를 풀어 보세요.

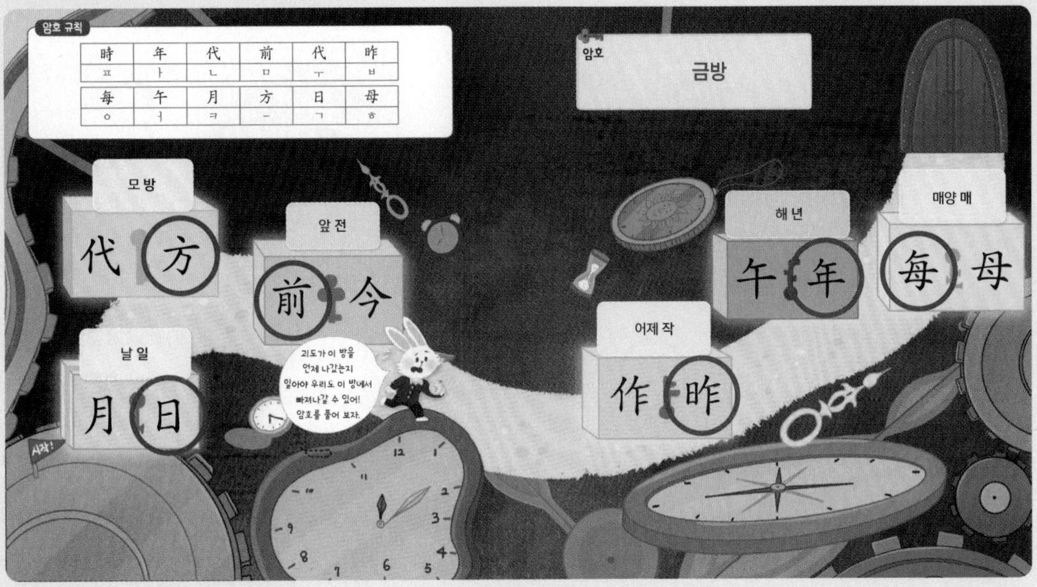

2주
특강

2주 특강 생각을 키워요 ③

창의·융합·코딩

정답 11쪽

📖 융합+한문 도형 암호의 규칙을 찾아 해독하여 답을 구해 보세요.

민지는 소영이로부터 중간중간 알 수 없는 도형이 섞인 편지를 받았습니다. 암호 규칙을 이용하여 편지 내용을 풀어 보세요.

1 민지와 소영이는 몇 학년 때부터 같은 반이었는지 쓰세요.

(4학년)

2 민지와 소영이가 만나기로 한 떡볶이 가게의 위치를 지도에서 찾아 V표 하세요.

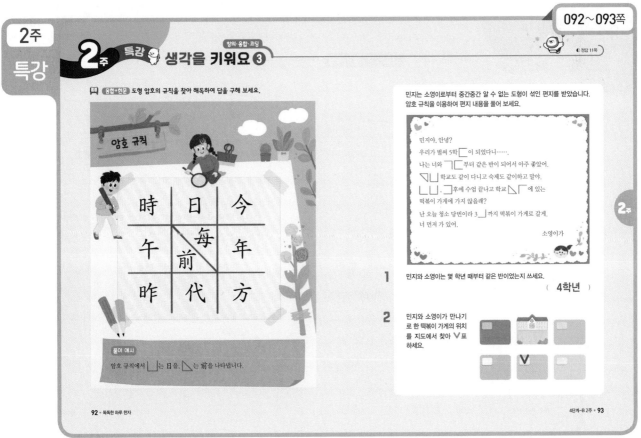

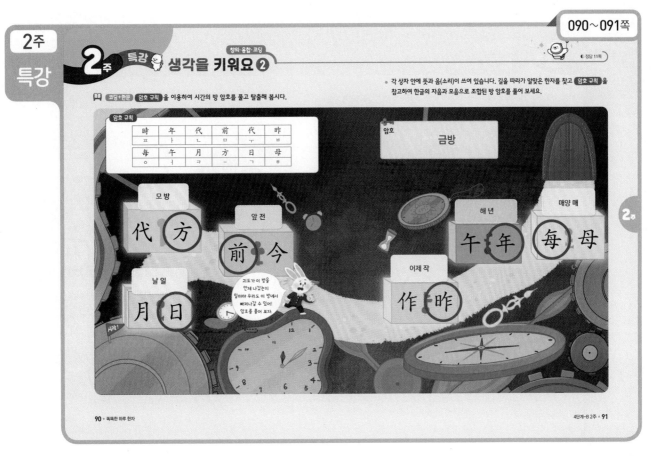

정답

3주 도입

096~097쪽

3주에는 무엇을 공부할까? ❷

정답 12쪽

✪ 이번 주에 배울 한자들이 그림 속에 숨어 있어요. 보기를 참고해서 숨은 한자를 찾아 ○표 하고, 색깔이 다른 한자가 있는 곳에서 하늘이의 할아버지를 찾아 ∨표 하세요.

보기
身 몸 신　體 몸 체　急 급할 급　所 바 소　老 늙을 로
弱 약할 약　內 안 내　科 과목 과　手 손 수　術 재주 술

3주 1일

102~103쪽

1일 건강 한자　身 몸 신 | 體 몸 체　기초 실력을 키워요

정답 12쪽

기초 집중 연습

한자 확인
1 다음 한자의 뜻과 음(소리)으로 알맞은 것을 찾아 선으로 이으세요.

體 ― 몸 체
　　 몸 신

어휘 확인
2 ◯에 알맞은 글자를 넣어 낱말을 만드세요.

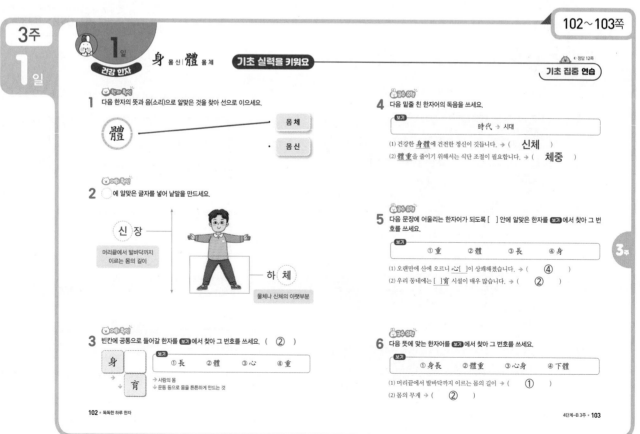

(신)장 ― 머리끝에서 발바닥까지 이르는 몸의 길이
하(체) ― 물체나 신체의 아랫부분

어휘 확인
3 빈칸에 공통으로 들어갈 한자를 보기에서 찾아 그 번호를 쓰세요. (②)

보기
① 長　② 體　③ 心　④ 重

身 □
→ 사람의 몸
□ 育
↓ 운동 등으로 몸을 튼튼하게 만드는 것

급수 유형
4 다음 밑줄 친 한자어의 독음을 쓰세요.

보기
時代 → 시대

(1) 건강한 身體에 건전한 정신이 깃듭니다. → (신체)
(2) 體重을 줄이기 위해서는 식단 조절이 필요합니다. → (체중)

급수 유형
5 다음 문장에 어울리는 한자어가 되도록 [ ] 안에 알맞은 한자를 보기에서 찾아 그 번호를 쓰세요.

보기
① 重　② 體　③ 長　④ 身

(1) 오랜만에 산에 오르니 心[ ]이 상쾌해졌습니다. → (④)
(2) 우리 동네에는 [ ]育 시설이 매우 많습니다. → (②)

급수 유형
6 다음 뜻에 맞는 한자어를 보기에서 찾아 그 번호를 쓰세요.

보기
① 身長　② 體重　③ 心身　④ 下體

(1) 머리끝에서 발바닥까지 이르는 몸의 길이 → (①)
(2) 몸의 무게 → (②)

3주 2일 — 108~109쪽

건강 한자 2일 急 급할 급 | 所 바 소 기초 실력을 키워요

기초 집중 연습 (정답 13쪽)

1 그림 속 한자의 뜻과 음(소리)으로 알맞은 것을 찾아 ○표 하세요.

急: 등급 급 / (급할 급) ○
所: (바 소) ○ / 작을 소

2 한자어판에서 설명에 해당하는 한자어를 찾아 ○표 하세요.

長	成	聞
工	急	木
所	火	用

설명: 조금만 다쳐도 생명이 위험할 수 있는 몸의 중요한 부분

(急所 ○)

3 다음 □에 들어갈 한자로 알맞은 것을 찾아 V표 하세요.

잭이 땅에 마법의 콩을 심었더니 하루 만에 □성장하여 하늘까지 자랐습니다.

☑ 急 □ 所

4 다음 한자의 뜻과 음(소리)을 쓰세요.

보기: 身 → 몸 신

(1) 急 → (급할 급)
(2) 所 → (바 소)

5 다음 문장에 어울리는 한자어가 되도록 [ ] 안에 알맞은 한자를 보기에서 찾아 그 번호를 쓰세요.

보기: ① 所 ② 長 ③ 工 ④ 急

(1) 동생은 마음에서 [ ]聞난 개구쟁이입니다. → (①)
(2) 숙모는 집에 火[ ]한 일이 생겼다며 달려가셨습니다. → (④)

6 다음 뜻에 맞는 한자어를 보기에서 찾아 그 번호를 쓰세요.

보기: ① 木工所 ② 所用 ③ 急成長 ④ 急所

(1) 사물의 규모가 급격하게 커짐. → (③)
(2) 나무로 가구나 창틀, 문 등의 물건을 만드는 곳 → (①)

108 • 똑똑한 하루 한자 4단계-B 3주 • 109

3주 3일 — 114~115쪽

건강 한자 3일 老 늙을 로 | 弱 약할 약 기초 실력을 키워요

기초 집중 연습 (정답 13쪽)

1 다음 한자와 뜻이 반대되는 낱말을 찾아 선으로 이으세요.

老 — 젊다
가볍다

2 다음 그림에서 ◯ 표시된 것과 설명이 의미하는 낱말을 쓰세요.

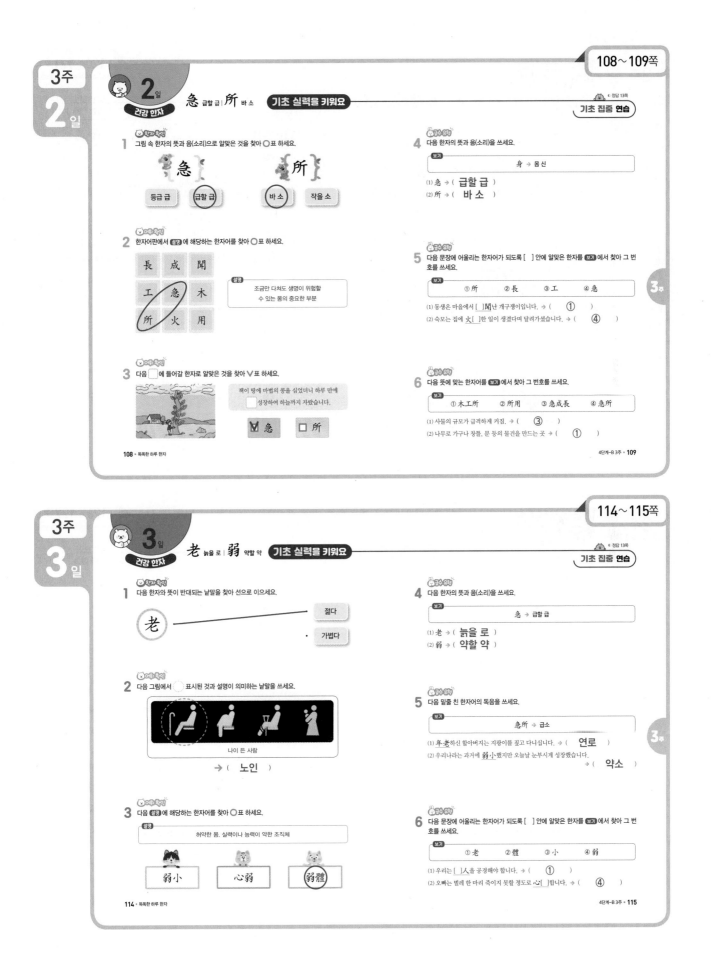

나이 든 사람

→ (노인)

3 다음 설명에 해당하는 한자어를 찾아 ○표 하세요.

설명: 허약한 몸. 실력이나 능력이 약한 조직체

弱小 / 心弱 / (弱體) ○

4 다음 한자의 뜻과 음(소리)을 쓰세요.

보기: 急 → 급할 급

(1) 老 → (늙을 로)
(2) 弱 → (약할 약)

5 다음 밑줄 친 한자어의 독음을 쓰세요.

보기: 急所 → 급소

(1) 年老하신 할아버지는 지팡이를 짚고 다니십니다. → (연로)
(2) 우리나라는 과거에 弱小했지만 오늘날 눈부시게 성장했습니다. → (약소)

6 다음 문장에 어울리는 한자어가 되도록 [ ] 안에 알맞은 한자를 보기에서 찾아 그 번호를 쓰세요.

보기: ① 老 ② 體 ③ 小 ④ 弱

(1) 우리는 [ ]人을 공경해야 합니다. → (①)
(2) 오빠는 벌레 한 마리 죽이지 못할 정도로 心[ ]합니다. → (④)

114 • 똑똑한 하루 한자 4단계-B 3주 • 115

정답

3주 4일 — 120~121쪽

4일 건강 한자 內 안 내 | 科 과목 과 **기초 실력을 키워요**

정답 14쪽 **기초 집중 연습**

1 그림 속 한자의 뜻과 음(소리)으로 알맞은 것을 찾아 ○표 하세요.

- 內: (안 내) ○ / 바깥 외
- 科: 벼 화 / (과목 과) ○

2 그림 속 내용이 맞으면 '예', 틀리면 '아니요'에 ○표 하세요.

- '內科'는 '몸 안에 생긴 병을 치료하는 의료 분야'를 뜻합니다. → (예) ○
- '室內'는 '가내'라고 읽습니다. → (아니요) ○

3 다음 □에 들어갈 한자로 알맞은 것을 찾아 ∨표 하세요.

고양이가 나를 따르지 않아서 □心 섭섭했습니다.

☑ 內 □ 科

4 다음 밑줄 친 한자어의 독음을 쓰세요.

보기: 弱小 → 약소

(1) 관중들이 경기장 內外를 가득 메웠습니다. → (내외)

(2) 시험에 대비하여 敎科書를 열심히 공부했습니다. → (교과서)

5 다음 문장에 어울리는 한자어가 되도록 [ ] 안에 알맞은 한자를 보기에서 찾아 그 번호를 쓰세요.

보기: ① 敎 ② 科 ③ 外 ④ 內

(1) 날씨가 너무 추워서 황급히 室[ ]로 들어갔습니다. → (④)

(2) 내일은 수학 [ ]目 시험을 보는 날입니다. → (②)

6 다음 뜻에 맞는 한자어를 보기에서 찾아 그 번호를 쓰세요.

보기: ① 敎科書 ② 內外 ③ 室內 ④ 內心

(1) 겉으로 드러나지 않은 실제 마음. 속마음 → (④)

(2) 학교에서 교재로 사용하려고 만든 책 → (①)

120 • 똑똑한 하루 한자 4단계-B 3주 • 121

3주 5일 — 126~127쪽

5일 건강 한자 手 손 수 | 術 재주 술 **기초 실력을 키워요**

정답 14쪽 **기초 집중 연습**

1 다음에서 '術'의 뜻과 음(소리)을 찾아 ○표 하세요.

(재주 술) ○ / 말씀 화 / 손 수

2 다음 문장의 뜻에 알맞은 낱말을 찾아 ○표 하세요.

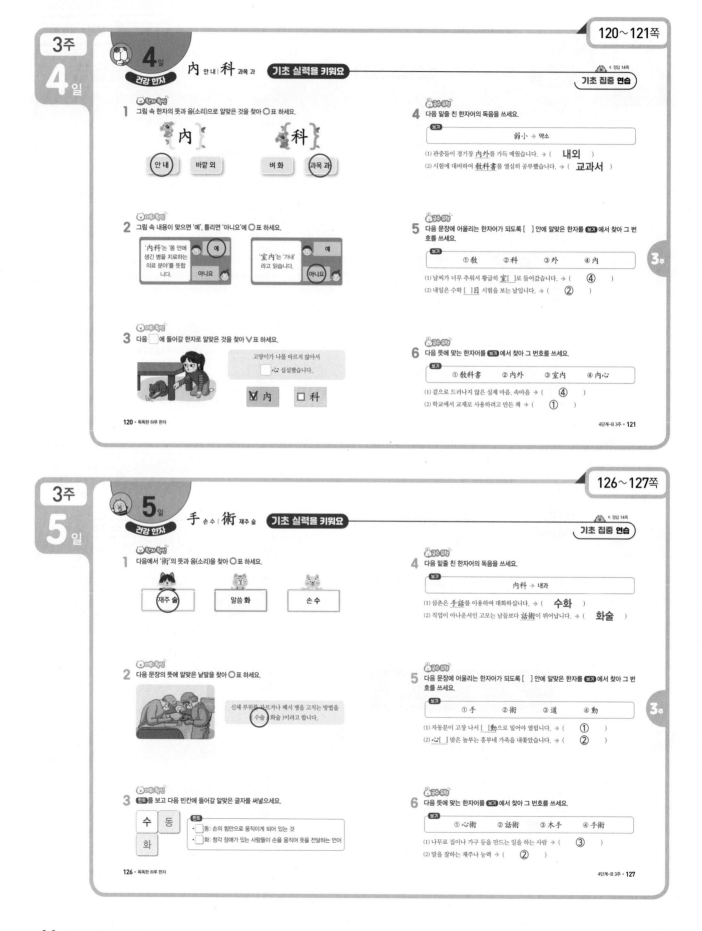

신체 부위를 자르거나 째서 병을 고치는 방법을 (수술 ○ / 화술)이라고 합니다.

3 힌트를 보고 다음 빈칸에 들어갈 알맞은 글자를 써넣으세요.

수	동
화	

힌트
- □동: 손의 힘만으로 움직이게 되어 있는 것
- □화: 청각 장애가 있는 사람들이 손을 움직여 뜻을 전달하는 언어

4 다음 밑줄 친 한자어의 독음을 쓰세요.

보기: 內科 → 내과

(1) 삼촌은 手話를 이용하여 대화하십니다. → (수화)

(2) 직업이 아나운서인 고모는 남들보다 話術이 뛰어납니다. → (화술)

5 다음 문장에 어울리는 한자어가 되도록 [ ] 안에 알맞은 한자를 보기에서 찾아 그 번호를 쓰세요.

보기: ① 手 ② 術 ③ 道 ④ 動

(1) 자동문이 고장 나서 [ ]動으로 밀어야 열립니다. → (①)

(2) 心[ ] 맞은 놀부는 흥부네 가족을 내쫓았습니다. → (②)

6 다음 뜻에 맞는 한자어를 보기에서 찾아 그 번호를 쓰세요.

보기: ① 心術 ② 話術 ③ 木手 ④ 手術

(1) 나무로 집이나 가구 등을 만드는 일을 하는 사람 → (③)

(2) 말을 잘하는 재주나 능력 → (②)

126 • 똑똑한 하루 한자 4단계-B 3주 • 127

3주 TEST

128~129쪽

3주 누구나 100점 TEST

정답 15쪽

맞은 개수 / 10개

1 다음 한자의 알맞은 뜻과 음(소리)을 골라 선으로 이으세요.

(1) 體 — 몸 — 체
(2) 科 — 과목 — 과
(3) 術 — 재주 — 술

2 한자 카드에 쓰인 내용이 맞는 것을 찾아 그 번호를 쓰세요. (②)

①

老 늙을 로

②

手 손 수

3 다음 설명에 해당하는 낱말을 찾아 그 번호를 쓰세요. (①)

설명: 사람의 몸

① 신체 ② 급소 ③ 노약 ④ 내과 ⑤ 심신

4 다음 그림이 나타내는 한자를 선으로 이으세요.

— 內
· 外

5 다음 그림을 보고 □ 안에 공통으로 들어갈 알맞은 한자를 보기에서 찾아 그 번호를 쓰세요.

보기: ① 校 ② 急 ③ 高

• 누나가 어제 □소를 다쳐서 응□실에 갔습니다.

→ (②)

6 다음 밑줄 친 한자의 음(소리)을 쓰세요.

내일 학교에서 새 학기에 사용할 (1) 교科서를 나누어 줄 것이라는 (2) 所문을 들었습니다.

(1) → (과)
(2) → (소)

7 다음 낱말과 뜻이 반대되는 한자를 보기에서 찾아 그 번호를 쓰세요.

보기: ① 弱 ② 急 ③ 內

(1) 밖 ↔ (③)
(2) 강하다 ↔ (①)

8 다음 밑줄 친 낱말에 해당하는 한자를 보기에서 찾아 그 번호를 쓰세요.

보기: ① 急 ② 手 ③ 所

• 음식을 먹기 전에는 항상 손을 깨끗이 씻어야 합니다.

→ (②)

9 다음 밑줄 친 낱말에 해당하는 한자어를 보기에서 찾아 그 번호를 쓰세요.

보기: ① 所用 ② 心弱 ③ 身長

• 친구들과 누구의 신장이 더 큰지 재어 보았습니다.

→ (③)

10 다음 십자말풀이를 보고 □ 안에 들어갈 알맞은 한자를 보기에서 찾아 그 번호를 쓰세요. (②)

보기: ① 身 ② 體 ③ 急

하	□
	중

→ 하□: 물체나 신체의 아랫부분

↓ □중: 몸의 무게

3주 특강

130~131쪽

3주 특강 창의·융합·코딩 생각을 키워요 ①

정답 15쪽

국어+한문 다음 만화를 읽고, 성어의 뜻을 생각해 보세요.

殺 身 成 仁

죽일 살 몸 신 이룰 성 어질 인

◆ 성어의 뜻을 살펴보며 빈칸에 알맞은 한자를 채우세요.

살	신	성	인
殺	身	成	仁

→ '자신의 몸을 죽여 인을 이룬다.'라는 뜻으로, 자신의 몸을 희생하여 옳은 일을 행하는 것을 이르는 말

3주 특강

3주 특강 생각을 키워요 ❷

132 • 똑똑한 하루 한자

4단계-B 3주 • **133**

→ (신장)

3주 특강

3주 특강 생각을 키워요 ❸

134 • 똑똑한 하루 한자

4단계-B 3주 • **135**

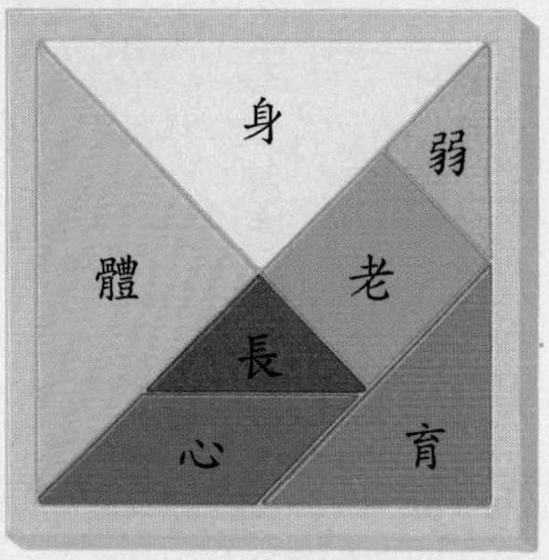

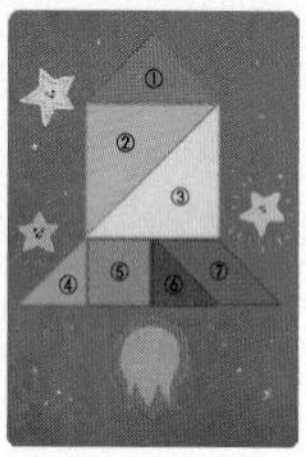

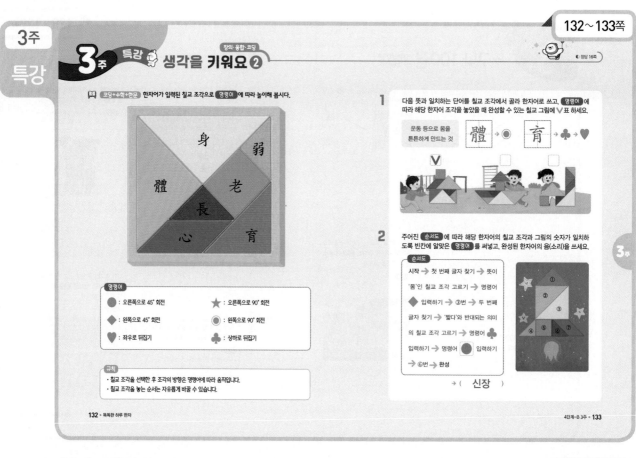

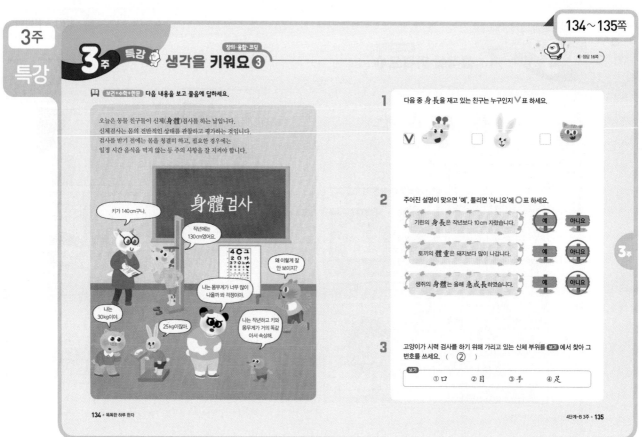

도입

4주에는
무엇을 공부할까? ❷

보기 天 하늘 천 → 才 재주 재 → 神 귀신 신 → 童 아이 동 → 各 각각 각 → 自 스스로 자 → 部 때 부 → 下 아래 하 → 生 날 생 → 計 셀 계

✿ 이번 주에 배울 한자가 미로 속에 있어요. 보기를 참고해서 제시된 한자의 뜻과 음(소리)이 바르게 쓰인 길을 따라가 탐정들이 집에 갈 수 있게 출구를 찾아 주세요.

4주
1일

사람 한자

天 하늘 천 | 才 재주 재 　기초 실력을 키워요

기초 집중 **연습**

1 다음 한자의 뜻과 음(소리)으로 알맞은 것을 찾아 선으로 이으세요.

才 ——— 하늘 천
天 ——— 재주 재

2 ◯에 알맞은 글자를 넣어 낱말을 만드세요.

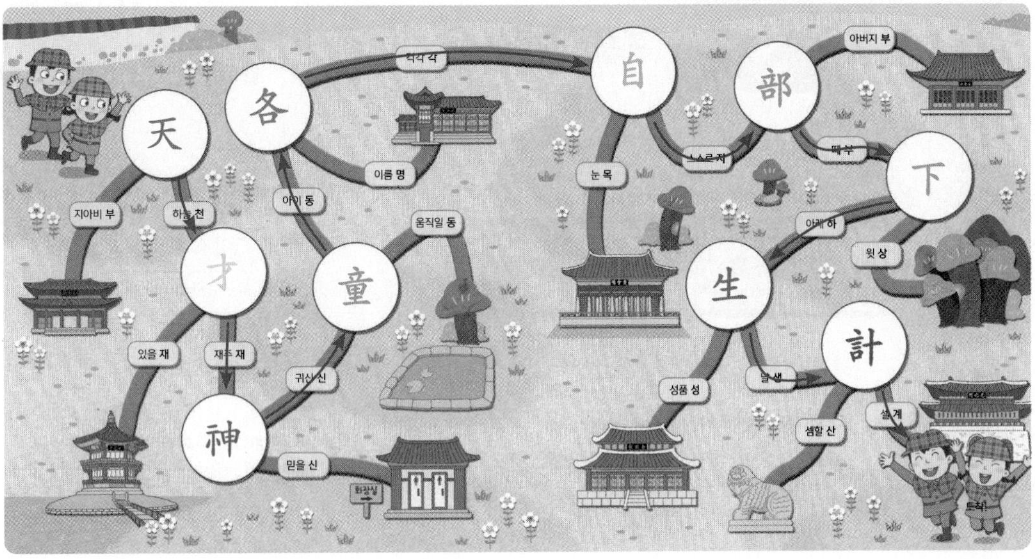

하늘과 땅
천 지

재주가 놀라운 사람
인 재

3 다음 문장에 들어갈 말로 어울리는 한자어를 찾아 ◯표 하세요.

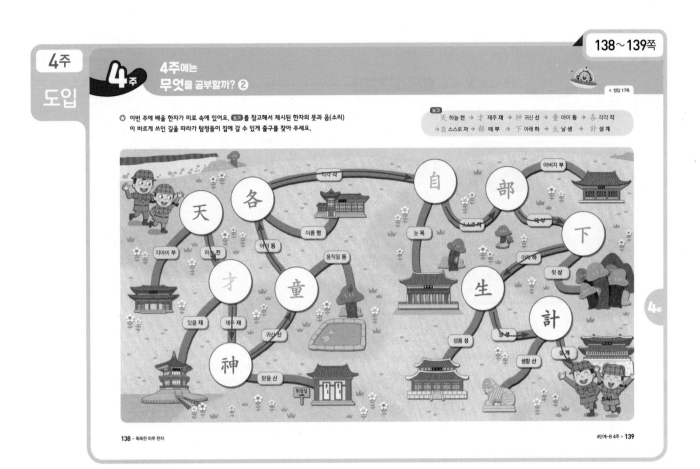

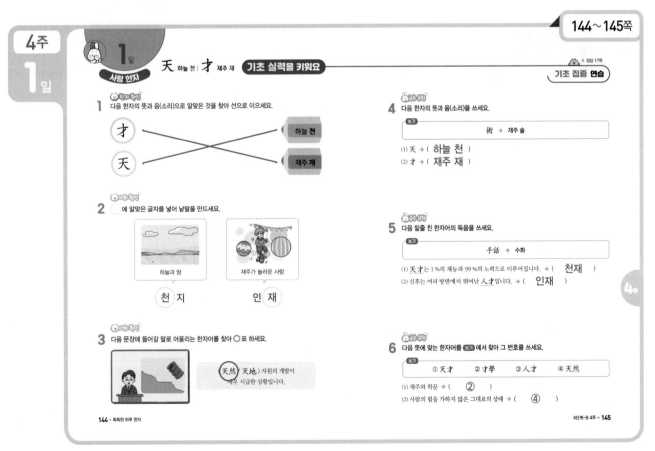

(天然 天地) 자원의 개발이 매우 시급한 상황입니다.

4 다음 한자의 뜻과 음(소리)을 쓰세요.

보기 術 → 재주 술

(1) 天 → (하늘 천)
(2) 才 → (재주 재)

5 다음 밑줄 친 한자어의 독음을 쓰세요.

보기 手話 → 수화

(1) 天才는 1 %의 재능과 99 %의 노력으로 이루어집니다. → (천재)
(2) 신후는 여러 방면에서 뛰어난 人才입니다. → (인재)

6 다음 뜻에 맞는 한자어를 보기에서 찾아 그 번호를 쓰세요.

보기 ① 天才　② 才學　③ 人才　④ 天然

(1) 재주와 학문 → (②)
(2) 사람의 힘을 가하지 않은 그대로의 상태 → (④)

4주 2일

150~151쪽

2일 사람 한자

神 귀신 신 | 童 아이 동 기초 실력을 키워요

정답 18쪽

기초 집중 연습

한자 확인

1 다음 밑줄 친 뜻에 해당하는 한자를 찾아 V표 하세요.

어린이는 나라의 미래입니다.
어린이날

☑ 童 ☐ 神

어휘 확인

2 그림 속 내용이 맞으면 '예', 틀리면 '아니요'에 ○표 하세요.

'神話'는 '예로부터 전해져 오는 신을 중심으로 한 이야기'를 뜻합니다. — (예) / 아니요

'女神'은 '성인 여성'이라는 뜻입니다. — 예 / (아니요)

어휘 확인

3 다음 ☐에 공통으로 들어갈 한자를 찾아 V표 하세요.

☐화책에는 ☐심이 가득 담겨 있습니다.

☐ 心 ☑ 童

급수 유형

4 다음 밑줄 친 한자어의 독음을 쓰세요.

보기: 天才 → 천재

(1) 다현이는 한자의 神童입니다. → (신동)
(2) 오랜만에 童心으로 돌아가 재미있게 놀았습니다. → (동심)

급수 유형

5 다음 문장에 어울리는 한자어가 되도록 [ ] 안에 알맞은 한자를 보기에서 찾아 그 번호를 쓰세요.

보기: ① 神 ② 食 ③ 心 ④ 童

(1) 미의 女[ ]은 비너스입니다. → (①)
(2) 나라마다 고유한 전래 [ ]話가 있습니다. → (④)

급수 유형

6 다음 뜻에 맞는 한자어를 보기에서 찾아 그 번호를 쓰세요.

보기: ① 童話 ② 童心 ③ 神童 ④ 食神

(1) 어린이에게 들려주기 위하여 지은 이야기 → (①)
(2) 재주와 슬기가 남달리 뛰어난 아이 → (③)

150 • 똑똑한 하루 한자 / 4단계-B 4주 • 151

4주 3일

156~157쪽

3일 사람 한자

各 각각 각 | 自 스스로 자 기초 실력을 키워요

정답 18쪽

기초 집중 연습

한자 확인

1 다음 한자 카드의 ☐ 안에 들어갈 한자나 한자의 음(소리)을 쓰세요.

각각 각 → (各)

自 스스로 ☐ → (자)

어휘 확인

2 다음 한자어의 뜻을 바르게 나타낸 것을 찾아 V표 하세요.

自然

☑ 저절로 그러한 상태
☐ 스스로 굳게 믿음.

어휘 확인

3 다음 문장에 들어갈 말로 어울리는 한자어를 찾아 ○표 하세요.

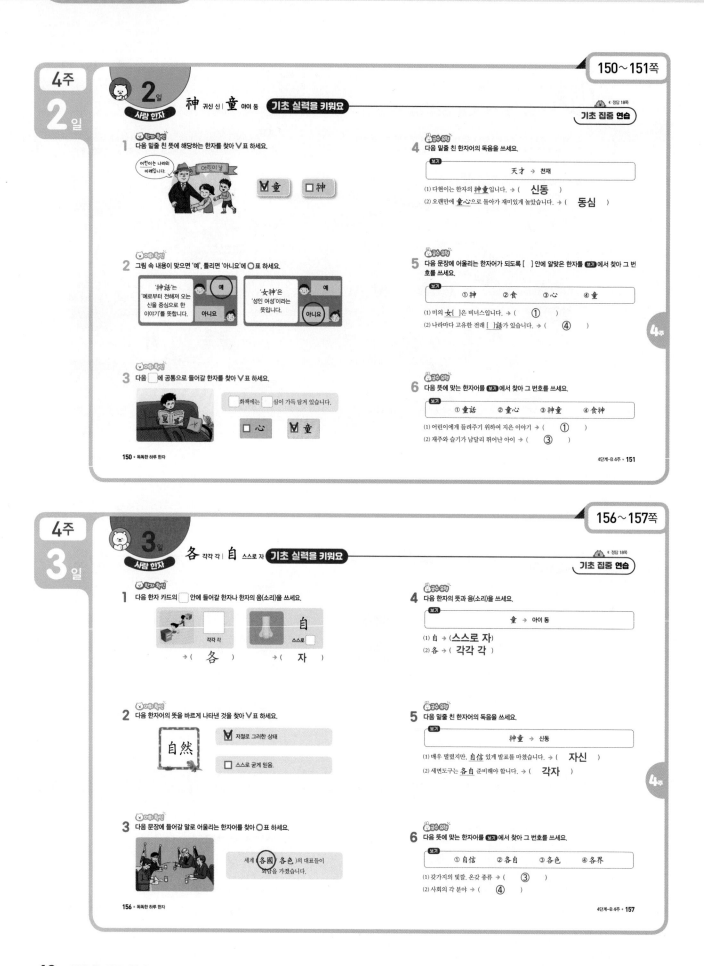

세계 (各國 / 各色)의 대표들이 회담을 가졌습니다. (정답: 各國)

급수 유형

4 다음 한자의 뜻과 음(소리)을 쓰세요.

보기: 童 → 아이 동

(1) 自 → (스스로 자)
(2) 各 → (각각 각)

급수 유형

5 다음 밑줄 친 한자어의 독음을 쓰세요.

보기: 神童 → 신동

(1) 매우 떨렸지만, 自信 있게 발표를 마쳤습니다. → (자신)
(2) 세면도구는 各自 준비해야 합니다. → (각자)

급수 유형

6 다음 뜻에 맞는 한자어를 보기에서 찾아 그 번호를 쓰세요.

보기: ① 自信 ② 各自 ③ 各色 ④ 各界

(1) 갖가지의 빛깔. 온갖 종류 → (③)
(2) 사회의 각 분야 → (④)

156 • 똑똑한 하루 한자 / 4단계-B 4주 • 157

162~163쪽

4주 4일

4일 사람 한자

部 떼 부 | 下 아래 하 **기초 실력을 키워요**

정답 19쪽

기초 집중 연습

한자 확인

1 다음 한자와 뜻이 일치하는 낱말을 찾아 선으로 이으세요.

部 — 떼(무리)

각각

어휘 확인

2 다음 밑줄 친 한자어의 음(소리)으로 알맞은 것을 찾아 V표 하세요.

장난감의 部分이(가) 부러졌습니다.

☑ 부분 ☐ 전부

어휘 확인

3 ◯에 알맞은 글자를 넣어 낱말을 만드세요.

바깥 부분. 조직이나 단체의 밖

외 (부)

공부를 끝내고 학교에서 집으로 돌아옴.

(하) 교

급수 유형

4 다음 한자의 뜻과 음(소리)을 쓰세요.

보기: 各 → 각각 각

(1) 部 → (떼 부)

(2) 下 → (아래 하)

급수 유형

5 다음 문장에 어울리는 한자어가 되도록 [ ] 안에 알맞은 한자를 보기에서 찾아 그 번호를 쓰세요.

보기: ① 部 ② 下 ③ 長 ④ 分

(1) 길 건너에 있는 학교로 가려면 地[ ]道를 건너야 합니다. → (②)

(2) 外[ ] 공기를 마시기 위해 창문을 열었습니다. → (①)

급수 유형

6 다음 뜻에 맞는 한자어를 보기에서 찾아 그 번호를 쓰세요.

보기: ① 下校 ② 外部 ③ 部下 ④ 部長

(1) 한 부를 거느려 다스리는 직위 → (④)

(2) 직책상 자기보다 더 낮은 자리에 있는 사람 → (③)

162 • 똑똑한 하루 한자

4단계-B 4주 • 163

168~169쪽

4주 5일

5일 사람 한자

生 날 생 | 計 셀 계 **기초 실력을 키워요**

정답 19쪽

기초 집중 연습

한자 확인

1 다음 그림이 나타내는 한자와 음(소리)을 찾아 선으로 이으세요.

生 — 생

計 — 계

어휘 확인

2 다음 문장에 들어갈 말로 어울리는 한자어를 찾아 ○표 하세요.

가게에서 (計算 / 生計)하기 위해 줄을 섭니다.

어휘 확인

3 빈칸에 공통으로 들어갈 한자를 보기에서 찾아 그 번호를 쓰세요. (②)

보기: ① 共 ② 生 ③ 家

□活 / □命

→ 살아서 활동함.

↓ 목숨. 생물로서 살아 있게 하는 힘

급수 유형

4 다음 밑줄 친 한자어의 독음을 쓰세요.

보기: 部下 → 부하

(1) 새봄을 맞은 앞산에는 온갖 生命으로 가득 차 있습니다. → (생명)

(2) 어렸을 적에는 家計가 넉넉지 못하여 힘들었습니다. → (가계)

급수 유형

5 다음 문장에 어울리는 한자어가 되도록 [ ] 안에 알맞은 한자를 보기에서 찾아 그 번호를 쓰세요.

보기: ① 命 ② 生 ③ 家 ④ 計

(1) 오늘 하루 동안 공부한 시간을 [ ]算해 봅시다. → (④)

(2) 내일부터는 학교 [ ]活을 잘하기로 다짐했습니다. → (②)

급수 유형

6 다음 뜻에 맞는 한자어를 보기에서 찾아 그 번호를 쓰세요.

보기: ① 家計 ② 生計 ③ 共生 ④ 生活

(1) 서로 도우며 함께 삶. → (③)

(2) 살림을 살아 나갈 방도 → (②)

168 • 똑똑한 하루 한자

4단계-B 4주 • 169

정답

4주 TEST

170~171쪽

4주 누구나 100점 TEST

정답 20쪽 맞은 개수 /10개

1 다음 한자의 알맞은 뜻과 음(소리)을 보기에서 찾아 그 번호를 쓰세요.

보기 ① 하늘 천 ② 재주 재 ③ 아이 동

(②) (①) (③)

2 한자의 뜻과 음(소리)이 바르게 쓰인 카드를 모두 찾아 ∨표 하세요.

□ 神 믿을 신	☑ 自 스스로 자
☑ 計 셀 계	□ 各 이름 명

3 다음 뜻에 해당하는 한자어를 찾아 그 번호를 쓰세요. (③)

재주와 슬기가 남달리 뛰어난 아이

① 生命 ② 多才 ③ 神童 ④ 才學 ⑤ 食神

4 다음 그림이 나타내는 한자어를 찾아 ○표 하세요.

部下 (下校)

5 다음 그림을 보고 □ 안에 들어갈 알맞은 한자를 보기에서 찾아 그 번호를 쓰세요.

보기 ① 部 ② 各 ③ 才

• 무지개는 빨강, 주황, 노랑, 초록, 파랑, 남색, 보라 □色이 한데 모여 만들어집니다.
→ (②)

6 다음 낱말과 뜻이 반대되는 한자를 보기에서 찾아 그 번호를 쓰세요.

보기 ① 生 ② 童 ③ 外

(1) 성인 ↔ (②)
(2) 죽다 ↔ (①)

7 다음 밑줄 친 한자어의 음(소리)을 쓰세요.

• 단군 神話는 우리나라 최초의 국가를 세운 사람의 이야기입니다.
→ (신화)

8 다음 밑줄 친 음(소리)에 해당하는 한자를 보기에서 찾아 그 번호를 쓰세요.

보기 ① 部 ② 計 ③ 生

• 악어와 악어새는 공생 관계입니다.
→ (③)

9 다음 □ 안에 들어갈 알맞은 한자를 보기에서 찾아 그 번호를 쓰세요. (③)

보기 ① 不 ② 外 ③ 部

외□ → 외□: 바깥 부분, 조직이나 단체의 밖
□분 → □분: 전체를 몇으로 나눈 것의 하나하나

10 한자판에서 설명에 해당하는 한자어를 찾아 ○표 하세요.

설명 수량을 헤아림.

天	部	才
神	自	計
生	算	各

(○: 計算)

4주 특강

172~173쪽

4주 특강 창의·융합·코딩 생각을 키워요 ①

정답 20쪽

국어+인문 다음 만화를 읽고, 성어의 뜻을 생각해 보세요.

各 自 圖 生
각각 각 스스로 자 그림 도 날 생

◆ 성어의 뜻을 살펴보며 빈칸에 알맞은 한자를 채우세요.

각	자	도	생
各	自	圖	生

→ '각자가 스스로 제 살길을 찾는다.'라는 뜻으로, 제각기 살아갈 방법을 꾀함을 이르는 말

4주 특강

174~175쪽

4주 특강 생각을 키워요 ❷

창의·융합·코딩

◐ 정답 21쪽

코딩+한문 영희네 고양이가 갑자기 사라졌어요. 보기 와 순서도 를 참고하여 영희네 고양이를 찾아 주세요.

보기

部 童 才 神

순서도

한자의 총획이 4획 이하인가요?

- 예 ↙ 才(3획) → 영희네 고양이가 없습니다.
- 아니요 ↘ 部(11획), 童(12획), 神(10획)

한자의 뜻이 '아이'인가요?

- 예 ↙ 童(아이) → 영희네 고양이가 없습니다.
- 아니요 ↘ 部(떼), 神(귀신)

한자의 음(소리)에 받침이 들어가나요?

- 예 ↙ 神(신) → 영희네 고양이가 없습니다.
- 아니요 ↘ 部(부) → 영희네 고양이가 있습니다.

1 순서도 를 최종으로 통과한 한자가 있는 장소에서 영희네 고양이를 보호하고 있습니다. 영희네 고양이가 있는 곳은 어디인지 찾아 그 번호를 쓰세요. (①)

① 동물 병원 ② 경찰서 ③ 미용실 ④ 학교

2 다음 그림에서 영희네 고양이를 찾아 V표 하세요.

4주 특강

176~177쪽

4주 특강 생각을 키워요 ❸

창의·융합·코딩

◐ 정답 21쪽

미술+한문 다음 신문 기사를 읽고, 물음에 답하세요.

1973. 4. 25.

특종! 하루 신문

㉠天才 화가 피카소, 영원히 잠들다

어릴 때부터 미술 ㉡神童이었던 스페인 화가 피카소가 오늘 세상을 떠났습니다.

피카소는 그림뿐만 아니라 조각, 도예, 판화 등 여러 분야에서 ㉢多才한 화가였습니다.

특히, 사물이나 인물의 ㉣部分을 여러 방향에서 보고 한 화면에 그린 입체주의 기법을 연구하여 현대 미술의 발전에도 많은 영향을 주었습니다.

●色의 물감으로 아름답게 표현된 피카소의 작품들은 ◇◇◇ 박물관에 전시될 예정입니다.

김천재 어린이 기자

1 신문 기사에서 밑줄 친 한자어의 독음을 쓰세요.

㉠(천재) ㉡(신동)

㉢(다재) ㉣(부분)

2 신문 기사에 알맞은 사진이 필요합니다. 주어진 한자어와 어울리는 장면에 V표 하세요.

神童  V  ☐

多才  ☐  V

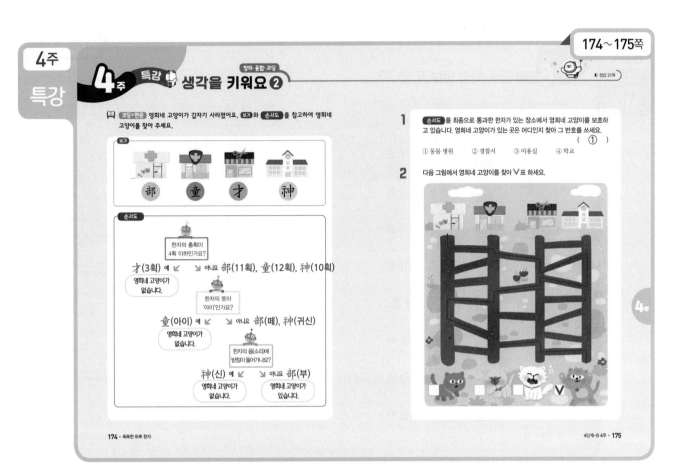

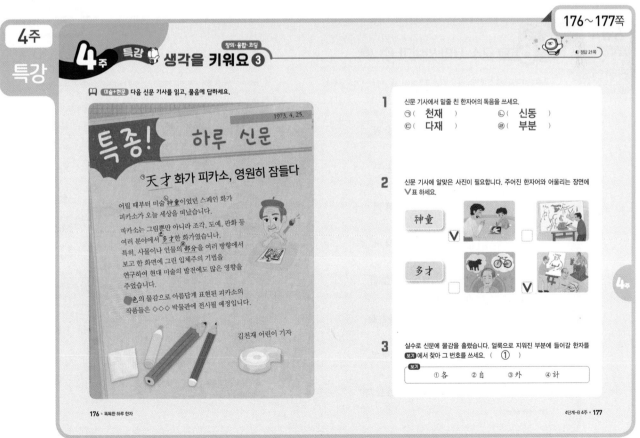

3 실수로 신문에 물감을 흘렸습니다. 얼룩으로 지워진 부분에 들어갈 한자를 보기 에서 찾아 그 번호를 쓰세요. (①)

보기

① 各 ② 自 ③ 外 ④ 計

정답

6급Ⅱ 급수 시험

178~179쪽

6급Ⅱ 급수 시험 맛보기 1회

◐ 정답 22쪽

[문제 1~8] 다음 밑줄 친 漢字語한자어의 讀音(독음: 읽는 소리)을 쓰세요.

보기: 漢字 → 한자

1 새 時代에 발맞춰 발전해야 합니다. (시대)

2 이 방법은 이제 아무 所用 없습니다. (소용)

3 계단을 오르내리며 下體를 단련합니다. (하체)

4 겨울의 雪山은 풍경이 매우 아름답습니다. (설산)

5 아버지는 地方 출장을 가셨습니다. (지방)

6 서당 개 삼 년이면 風月을 읊습니다. (풍월)

7 外部에서는 안쪽이 잘 보이지 않습니다. (외부)

8 자유의 女神상은 뉴욕을 대표합니다. (여신)

[문제 9~16] 다음 漢字한자의 訓(훈: 뜻)과 音(음: 소리)을 쓰세요.

보기: 字 → 글자 자

9 圖 (그림 도)

10 淸 (맑을 청)

11 今 (이제 금)

12 昨 (어제 작)

13 身 (몸 신)

14 弱 (약할 약)

15 各 (각각 각)

16 天 (하늘 천)

[문제 17] 다음 중 뜻이 서로 반대(상대)되는 漢字한자끼리 연결되지 않은 것을 고르세요.

17 ① 老 ↔ 少 ② 年 ↔ 代 ③ 上 ↔ 下 ④ 日 ↔ 月 (②)

[문제 18] 다음 문장에 어울리는 漢字語한자어가 되도록 ( ) 안에 알맞은 한자를 보기에서 찾아 그 번호를 쓰세요.

보기: ① 方 ② 時 ③ 内 ④ 術

18 이번 手( )도 무리 없이 안전하게 진행되었습니다. (④)

[문제 19] 다음 뜻에 맞는 漢字語한자어를 보기에서 찾아 그 번호를 쓰세요.

보기: ① 風物 ② 明堂 ③ 家計 ④ 空白

19 어떤 일에 써 좋은 자리 (②)

[문제 20~23] 다음 밑줄 친 漢字語한자어를 漢字한자로 쓰세요.

20 동생은 저보다 두 학년 아래입니다. (學年)

21 날이 너무 더워서 모두 실외로 나갔습니다. (室外)

22 이 조각가는 주로 여인을 주제로 다루었습니다. (女人)

23 벌써 방학이 끝나서 학교에 가야 합니다. (學校)

[문제 24~25] 다음 漢字한자의 질게 표시한 획은 몇 번째 쓰는 획인지 보기에서 찾아 그 번호를 쓰세요.

보기: ① 첫 번째 ② 두 번째 ③ 세 번째 ④ 네 번째

24 今 (③)

25 光 (①)

6급Ⅱ 급수 시험

180~181쪽

6급Ⅱ 급수 시험 맛보기 2회

◐ 정답 22쪽

[문제 1~8] 다음 밑줄 친 漢字語한자어의 讀音(독음: 읽는 소리)을 쓰세요.

보기: 漢字 → 한자

1 教科書는 소중히 다뤄야 합니다. (교과서)

2 나는 동생에게 童話를 읽어 주었습니다. (동화)

3 올해 나는 초등학교 4學年이 되었습니다. (학년)

4 장영실은 과거에 해시계를 發明했습니다. (발명)

5 그는 每事에 긍정적입니다. (매사)

6 木手는 나무로 의자와 식탁을 만들었습니다. (목수)

7 매우 어두워서 形體가 잘 보이지 않습니다. (형체)

8 下車할 때는 좌우를 잘 살펴야 합니다. (하차)

[문제 9~16] 다음 漢字한자의 訓(훈: 뜻)과 音(음: 소리)을 쓰세요.

보기: 字 → 글자 자

9 光 (빛 광)

10 球 (공 구)

11 年 (해 년)

12 時 (때 시)

13 急 (급할 급)

14 術 (재주 술)

15 才 (재주 재)

16 自 (스스로 자)

[문제 17] 다음 중 뜻이 서로 반대(상대)되는 漢字한자끼리 연결되지 않은 것을 고르세요.

17 ① 昨 ↔ 今 ② 南 ↔ 北 ③ 外 ↔ 内 ④ 才 ↔ 童 (④)

[문제 18] 다음 문장에 어울리는 漢字語한자어가 되도록 ( ) 안에 알맞은 한자를 보기에서 찾아 그 번호를 쓰세요.

보기: ① 淸 ② 雪 ③ 午 ④ 弱

18 매일 ( )前 9시까지 학교에 갑니다. (③)

[문제 19] 다음 뜻에 맞는 漢字語한자어를 보기에서 찾아 그 번호를 쓰세요.

보기: ① 部長 ② 急所 ③ 同時 ④ 今日

19 조금만 다쳐도 생명이 위험할 수 있는 몸의 중요한 부분 (②)

[문제 20~23] 다음 밑줄 친 漢字語한자어를 漢字한자로 쓰세요.

20 우리나라에는 생년을 알 수 없는 위인들이 많습니다. (生年)

21 친구가 외국으로 이민을 가게 되어 섭섭했습니다. (外國)

22 교실에 들어가면 수업 준비를 해야 합니다. (教室)

23 삼촌은 장래가 유망한 청년입니다. (青年)

[문제 24~25] 다음 漢字한자의 질게 표시한 획은 몇 번째 쓰는 획인지 보기에서 찾아 그 번호를 쓰세요.

보기: ① 첫 번째 ② 두 번째 ③ 세 번째 ④ 네 번째

24 身 (④)

25 生 (④)

memo

memo

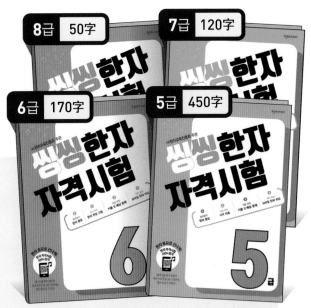

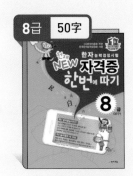

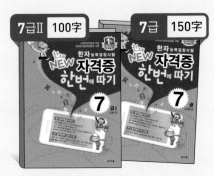

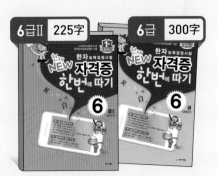

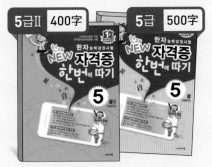

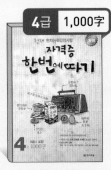

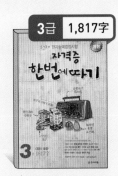

정답은
이안에
있어!

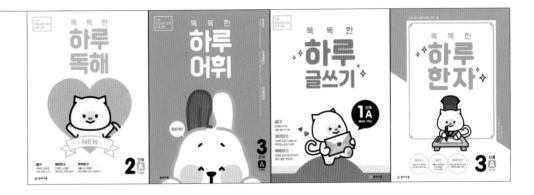

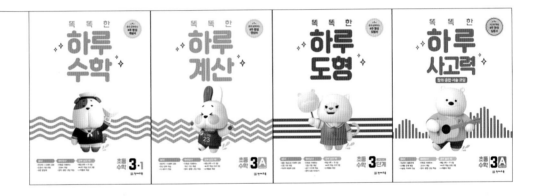

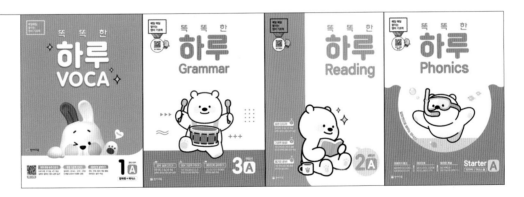

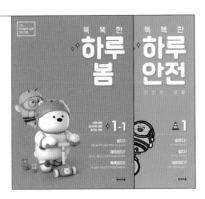

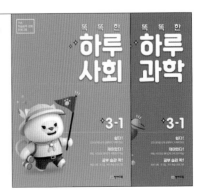

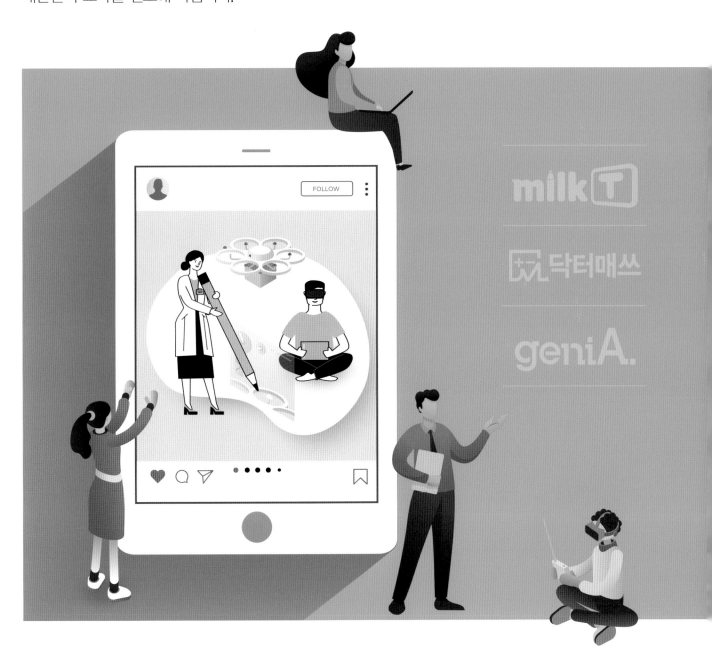

book.chunjae.co.kr

교재 내용 문의 ·························· 교재 홈페이지 ▸ 초등 ▸ 교재상담
교재 내용 외 문의 ······················ 교재 홈페이지 ▸ 고객센터 ▸ 1:1문의
발간 후 발견되는 오류 ·················· 교재 홈페이지 ▸ 초등 ▸ 학습지원 ▸ 학습자료실

My name~

		초등학교
학년	반	번
이름		

63710
9 791125 964773
ISBN 979-11-259-6477-3
정가 13,000원
어린이제품 안전 특별법에 의한 품질 표시

기초 학습 능력 강화 프로그램

똑 똑 한
하루 한자

한국어문회 주관
한자능력검정시험 대비 겸용

빠르다!
하루 한 자, 1일 6쪽
부담 없는 한자 학습

쉽다!
생활 속 한자어와
기초 문제로
누구나 쉽게!

재미있다!
만화, 코딩, 한자 카드 등
재미있는 놀이 학습

4 단계 B
6급Ⅱ 기초2

천재교육

언제나 만점이고 싶은 친구들

Welcome!

공부하기 싫어, 놀고 싶어!
공부는 지겹고, 어려워!
그 마음 잘 알아요.
그럼에도 꾸준히 공부하고 있는 여러분은
정말 대단하고, 칭찬받아 마땅해요.

여러분, 정말 미안해요.
공부를 지겹고 어려운 것으로 느끼게 해서요.

그래서 열심히 연구했어요.
공부하는 시간이 기다려지는 책을 만들려고요.
당장은 어려운 문제를 풀지 못해도 괜찮아요.
지금 여러분에겐 공부가 즐거워지는 것이 가장 중요하니까요.

이제 우리와 함께 재미있는 공부의 세계로 떠나볼까요?